Manipulations

astrologiques

**Découvrez l'envers des signes
pour obtenir tout ce que vous voulez,
quand vous le voulez**

Guy Saint-Jean Éditeur
3440, boul. Industriel
Laval (Québec) Canada H7L 4R9
450 663-1777
info@saint-jeanediteur.com
www.saint-jeanediteur.com

....

**Catalogage avant publication de Bibliothèque et Archives nationales du Québec
et Bibliothèque et Archives Canada**
Marlowe, Terry
[Astrologically incorrect. Français]
Manipulations astrologiques: découvrez l'envers des signes pour obtenir tout ce que vous voulez, quand vous le voulez
Traduction de: Astrologically incorrect.
ISBN 978-2-89455-828-7
1. Astrologie. I. Titre. II. Titre: Astrologically incorrect. Français.

BF1708.1.M37214 2015 133.5   C2015-941851-8

....

Nous reconnaissons l'aide financière du gouvernement du Canada par l'entremise du Fonds du livre
du Canada (FLC) ainsi que celle de la SODEC pour nos activités d'édition.

Financé par le gouvernement du Canada | **Canadä**   **SODEC** Québec ▧▧
Funded by the Government of Canada

Gouvernement du Québec – Programme de crédit d'impôt pour l'édition de livres – Gestion SODEC

Titre original: *Astrologically Incorrect*
Publié initialement en 2003 par Terry Marlowe et en 2015 par Adams Media, une division de F+W Media, Inc.,
États-Unis
© Terry Marlowe, 2003
© Terry Marlowe, 2015
© Guy Saint-Jean Éditeur inc., 2015, pour l'édition en langue française

Traduction de l'américain: Johanne Tremblay
Correction: Émilie Leclerc
Conception graphique des pages intérieures et de la couverture: Olivier Lasser

Dépôt légal – Bibliothèque et Archives nationales du Québec, Bibliothèque et Archives Canada, 2015
ISBN: 978-2-89455-828-7
ePub: 978-2-89455-829-4
PDF: 978-2-89455-830-0

Imprimé au Canada
1ʳᵉ impression, octobre 2015

Guy Saint-Jean Éditeur est membre de
l'Association nationale des éditeurs de livres (ANEL).

Terry Marlowe

Manipulations
astrologiques

Découvrez l'envers des signes
pour obtenir tout ce que vous voulez,
quand vous le voulez

Table des matières

CHAPITRE 1

Éloge de la ruse

On trouve partout des livres qui vous expliquent comme prendre votre vie en main. Mais où trouve-t-on des conseils sur la façon de prendre la vie d'autrui en main ? Heureusement, il y a l'astrologie.

Qui ne connaît pas les signes solaires, à tout le moins le signe sous lequel il est né ? C'est ce dont parlent les gens lorsqu'ils disent : « Je suis Balance » ou « Je suis Scorpion ». Les signes solaires sont une composante importante de votre horoscope, mais ce n'est pas la seule. Seul un horoscope complet vous fournira le profil psychologique d'une personne en plus de révéler ses moindres obsessions, névroses et complexes.

Généralement, il n'est pas possible d'obtenir tous les renseignements nécessaires à l'établissement d'un thème astral complet. De plus, à moins d'être vous-même astrologue, vous ne sauriez comment l'interpréter. Et même si vous le pouviez, cela ne vous aiderait pas à pousser votre patron à vous accorder une augmentation de salaire, à amener votre conjoint à remettre le bouchon sur le tube de dentifrice ou à inciter votre partenaire à succomber à vos charmes sensuels. Vous avez tenté l'approche directe. Vous avez essayé les conversations intimes au « je ». Il est temps d'essayer la manipulation.

L'ascendant et le signe solaire

Imaginons que vous faites chanter votre voisin pour 20 000 $. Vous attendriez-vous à ce qu'il vous paye si vous ne connaissiez pas ses secrets? Bien sûr que non! Comment, alors, croyez-vous pouvoir gérer quelqu'un le moindrement si vous ignorez tout de sa façon de penser?

Les néophytes de la manipulation échouent à ce jeu parce qu'ils ne connaissent pas bien leur cible. Les stratèges les plus rusés dissèquent la personnalité de leur sujet afin d'exposer ses zones vulnérables. Certains praticiens misent sur la psychologie. D'autres préfèrent l'intuition. Cependant, l'astrologie est le moyen le plus facile de déterminer le type de raisonnement d'une personne et les moyens de le faire fonctionner à votre avantage.

De toutes les composantes de l'horoscope, le signe solaire et l'ascendant sont les plus révélateurs et les plus faciles à déterminer. Imaginez que chaque partie de votre horoscope représente une soirée. Vous vous rendrez à la soirée de votre signe solaire comme vous êtes. La soirée de votre ascendant suggère plutôt d'y assister comme vous aimeriez être.

Tout comme le Soleil se trouve au centre du système solaire, votre signe solaire constitue le cœur de votre personnalité. Il révèle votre mode de fonctionnement. L'ascendant est aussi une partie intégrante de tout horoscope et une clé pour vous connaître et comprendre les autres. L'ascendant est votre personnalité et l'image que vous projetez pour vous protéger. C'est ce que vous gardez à l'intérieur, le lapin que vous tirez du chapeau lorsque vous êtes pris au dépourvu. L'ascendant est ce que vous semblez être et ce que – à vos yeux – vous devriez être.

Dans une société déterminée à repousser sans cesse les limites de la superficialité, la compulsion à vivre conformément à notre «image» est irrésistible. Et pendant que nous soignons notre image dans le rétroviseur, nous ne voyons pas la collision qui s'en vient.

Lorsque vous cherchez un angle d'attaque sur quelqu'un, considérez à la fois son signe solaire et son ascendant. La combinaison des deux vous renseignera suffisamment sur la personne pour déterminer la meilleure façon d'obtenir d'elle ce que vous voulez.

Si vous êtes comme la moyenne des ours, vous vérifierez d'abord votre propre signe et votre ascendant, ne serait-ce que pour tester les techniques avant de les mettre en application sur autrui (ou pour éviter qu'on vous manipule). Vous aurez beau dire que l'astrologie est une fumisterie ou que la description ne vous ressemble pas, faites-la donc lire à votre patron. Ou à votre meilleure amie. Observez-les ensuite s'exclamer sur l'incroyable fidélité du profil. Soyons clair : à moins que vous soyez d'une nature très introspective ou que vous ayez dépensé une fortune en psychothérapie, vous ne reconnaîtrez pas vos points faibles. Après tout, si vous saviez comment on vous manipule, on aurait cessé de le faire depuis longtemps.

Lorsque vous consulterez le signe solaire et l'ascendant d'une personne, rappelez-vous que l'un ou l'autre sera plus évident aux yeux de certaines personnes à certains moments et dans certaines situations. Par exemple, un ascendant Capricorne fait son chemin vaillamment jusqu'aux plus hautes sphères d'influence et dans les pages du bottin mondain. Mais s'il est né sous le signe du Bélier, il tassera beaucoup de monde en chemin.

Autre exemple, vos collègues de travail tablent peut-être sur la nature pratique et économe de votre ascendant Taureau, alors que votre famille sait que le Poissons que vous êtes en réalité grille tous ses chèques de paie en trois jours au rayon des substances hallucinogènes.

Si ces traits semblent contradictoires, c'est qu'ils le sont. Les gens sont contradictoires, et c'est pourquoi ils ne sont pas si faciles à comprendre. Voici quelques clés pour découvrir l'esprit de ceux qui vous entourent.

CHAPITRE 2

Pour tirer le meilleur parti de ce livre : jumelez le signe solaire et l'ascendant dans un tango tactique

La manipulation réussie est comme une danse tactique. Elle exige de protéger vos arrières, de tirer les bonnes ficelles et de toucher les points sensibles de votre partenaire. Découvrez vos forces et vos vulnérabilités décrites sous votre signe et votre ascendant, apprenez les forces et les faiblesses de votre partenaire de danse puis utilisez votre savoir pour vous protéger tout en tirant profit de lui.

La première partie de ce chapitre présente en gros comment obtenir ce que vous désirez des autres en tablant sur votre connaissance de leur signe et de leur ascendant. La deuxième partie vous explique comment calculer l'ascendant et se termine par une liste des dates correspondant aux signes solaires.

Le reste du livre est consacré à chacun des 12 signes solaires. Chaque chapitre vous fournit des munitions pour gérer un signe et échafauder des stratégies de votre cru.

Comment trouver le signe solaire et l'utiliser

Commençons par le signe solaire. Repérez le vôtre à la fin de ce chapitre, puis repérez celui d'une personne que vous aimeriez glisser dans votre petite poche arrière. Tout ce qu'il vous faut, c'est sa date de naissance.

Imaginons, par exemple, que votre vie amoureuse traverse une zone de turbulences. Vous êtes Vierge. Votre partenaire est Verseau. Ce n'est pas que vous soyez tatillon, mais votre avant-gardiste Verseau refuse de faire la vaisselle. Vous le lui avez dit et redit, mais chaque fois la situation s'envenime au lieu de s'améliorer. Que faire?

Lisez le chapitre 8, consacré à la Vierge. Vous y trouverez l'occasion de vous rappeler que vous êtes intelligent, que vous aimez l'ordre et les horaires, et que vous entretenez avec votre agenda le type de relation que d'autres entretiennent avec leur chat.

Lisez ensuite le chapitre 13, qui vous apprendra que vous vivez avec un Verseau rebelle pour qui l'enfer correspond au timbre de votre réveille-matin et à tout ce qui ressemble de près ou de loin à un engagement ou à une case horaire dans l'agenda de quelqu'un.

Votre penchant pour la routine et votre propension à faire la morale ne conviennent pas du tout au dédain qu'éprouve votre Verseau adoré à l'égard des horaires et des figures d'autorité. Vous avez essayé l'approche directe en vain. Il est temps d'emprunter des voies plus discrètes.

Tablez sur le besoin très Verseau d'être à l'avant-garde et de se distinguer. Les tâches ménagères sont ordinaires, alors vous devrez tenter d'en masquer le caractère bourgeois et de les faire paraître radicales à votre Verseau. Par exemple, placez dans la cuisine un socle iPod et chargez ce dernier avec des listes de lecture de musique alternative branchée. Puis faites la vaisselle quelques fois… à trois heures du matin. Le Verseau ne dira peut-être rien, mais il n'en pensera pas moins. Un bon matin, vous trouverez l'évier non seulement vide, mais étincelant. Qui sait à quelle heure le Verseau a fait la vaisselle? Qu'importe! Elle est faite et c'est tout ce qui compte.

Comment utiliser le signe solaire et l'ascendant

Vous avez remporté cette escarmouche avec votre amoureux uniquement en connaissant vos signes solaires respectifs. Raffinez maintenant vos connaissances et tirez-en profit en utilisant l'ascendant comme levier supplémentaire. En guise d'exemple, prenons un autre signe solaire et une autre mise en situation.

Imaginons qu'une amie qui vous avait promis de rester chez vous en votre absence vous a fait faux bond. Après avoir passé une semaine à l'extérieur du pays pour le travail, vous avez trouvé un monticule de journaux devant la porte et vos plantes déshydratées. Que devriez-vous faire? Avant tout, faites une petite recherche en ligne pour connaître votre ascendant.

Supposons que vous soyez un Sagittaire ascendant Cancer. Lisez d'abord le chapitre 11, qui vous apprendra que vous vous sentez plus chez vous dans une chambre d'hôtel que dans votre propre maison, et que vous êtes d'un tempérament ouvert et direct.

Or, vous êtes aussi ascendant Cancer. La lecture du chapitre 6 vous rappellera à quel point vous aimez votre foyer et que vous abordez les gens et les problèmes par la bande. À vos yeux, il y a une contradiction. Qu'êtes-vous vraiment: Sagittaire ou Cancer?

Vous êtes les deux.

En combinant les deux signes, vous comprendrez que vous avez le don de transformer une chambre d'hôtel en nid douillet. De plus, lorsque vous devez affronter un problème ou une personne, vous prenez d'abord une approche indirecte, mais dès que vous avez cerné le cœur du problème ou l'angle d'attaque, votre franc-parler ne connaît plus de limites.

Maintenant que vous avez saisi votre mode de fonctionnement, réfléchissez à la façon dont votre entourage vous aborde. Prenons vos amis. Ils tablent sans doute sur l'approche indirecte du Cancer quand ça les arrange, particulièrement lorsqu'ils préfèrent vous voir éviter un problème, comme celui qu'ils ont créé en oubliant d'arroser vos plantes en votre absence.

En revanche, l'assassin de vos plantes sait que votre côté Sagittaire ne demande qu'à lui dire ses quatre vérités. C'est pourquoi elle titillera votre fibre de Cancer en disant quelque chose comme : « J'aurais bien pris tes conseils sur la meilleure façon de réorganiser mon salon. »

Normalement, vous lui auriez fait quelques suggestions concernant les fauteuils et l'armoire. Sauf que vous ne mordrez pas à l'hameçon et ne réagirez pas comme votre amie l'espérait.

Apprenez à mieux connaître cette dernière en recourant à la même méthode. Par exemple, vous vous demandez comment traiter l'incident des plantes. Déterminez le signe solaire et l'ascendant de votre amie, et vous pourrez la manipuler tout à votre aise.

Supposons que votre amie est Gémeaux. Cela signifie qu'elle est curieuse, volubile et facilement distraite, et qu'en route vers chez vous, une occasion plus intéressante s'est présentée au point de lui faire oublier vos plantes. Votre amie Gémeaux est ascendant Poissons, ce qui fait d'elle une personne sympathique, intuitive et rétive à la confrontation.

Voici comment affronter la situation. En rentrant de l'aéroport, vous constatez que vos géraniums sont pâles comme la mort et que votre lierre grimpant est devenu rampant. Vous savez que votre amie Gémeaux aime parler et qu'elle perd les commandes de la conversation aussi facilement que son sens de l'orientation. Misez donc là-dessus. Parlez de votre voyage. Profitez de l'avantage pour faire tourner la conversation autour du sujet qui vous intéresse. Vous distrayez ainsi le côté Gémeaux de votre amie de son côté Poissons, qui pressent que vous êtes sur le point de dire quelque chose qui lui déplaira, comme la vérité.

Vous pourriez dire quelque chose du genre : « C'était vraiment un beau voyage. Dommage que mes plantes soient mortes pendant mon absence. »

Vous avez indéniablement tiré la ficelle « sympathique » de l'ascendant Poissons et balayé la fibre Gémeaux sous le tapis. Votre amie Poissons est dévastée devant la triste mine de vos plantes et tout indique qu'elle vous les remplacera.

En découvrant par l'astrologie comment vous et votre amie vous comportez, vous avez déployé vos points forts contre ses points faibles. Vous avez réussi le tango tactique et obtenu ce que vous vouliez.

Comment calculer l'ascendant

Déterminer l'ascendant est plus simple qu'on pense. Vous devez pour ce faire connaître la date de naissance de votre victime potentielle, de même que la ville qui l'a vue naître. À la limite, un fuseau horaire peut faire l'affaire.

La suite est plus compliquée. Vous devez découvrir l'heure de naissance de votre sujet, à deux heures près, car c'est souvent à l'intérieur de cette fenêtre qu'un ascendant change pour un autre signe.

L'heure de naissance ne devrait pas être trop difficile à trouver s'il s'agit d'un parent proche. Les certificats de naissance mentionnent habituellement l'heure de la naissance. Sinon, les souvenirs de famille peuvent faire l'affaire. Par exemple : « Grand-maman disait que le soleil se couchait lorsque maman est née. » Si vous projetez de manipuler votre patron, sa date de naissance est habituellement facile à trouver. Vous devrez toutefois faire preuve d'un peu plus de subtilité pour connaître l'heure de sa naissance. Essayez la stratégie suivante lors du prochain 5 à 7.

Vous (*à votre patron*) : Tu es toujours allumé et dynamique le matin.

Patron : J'ai toujours été une personne du matin.

Vous : C'est clair, ne serait-ce que par la façon dont tu prends les commandes dès que tu entres au bureau. J'ai remarqué que les gens qui sont nés la nuit sont généralement des oiseaux de nuit et que ceux qui sont nés le jour sont habituellement des gens du matin. C'est vrai pour moi, en tout cas : mon cerveau ne prend pas sa vitesse de croisière avant midi.

Votre patron est captivé. Les oiseaux matinaux sont réputés pour être très satisfaits d'eux-mêmes.

Patron : Tu as raison ! Je suis né à 6 h 30, le matin, et j'aime me lever avec le soleil.

Et voilà l'heure de sa naissance sur un plateau. En plus, vous avez eu l'occasion d'exercer vos talents de manipulateur.

Si l'heure de naissance est approximative

Vous tenez la date et l'heure approximative de naissance de votre sujet. Vous consultez l'heure dans les tableaux des ascendants accessibles en ligne, et vous constatez que l'heure se trouve à la limite de deux signes. Heureusement, il est facile de déterminer de quel côté penche la personnalité d'une personne par l'ordonnancement des signes autour du zodiaque. Chaque signe est très différent de ses voisins.

Par exemple, un ascendant Lion a un côté dominant dans une salle de réunion ; un ascendant Vierge proposera plutôt d'en faire le ménage. Lisez les chapitres consacrés aux deux signes astrologiques et vous n'aurez pas de mal à déterminer l'ascendant qui correspond à votre sujet.

S'il est impossible de connaître l'heure de naissance de la personne, vous pouvez quand même déterminer ses points faibles à partir de son signe solaire.

Pendant vos recherches dans les chapitres de ce livre, alors que vous baignerez dans la manipulation préméditée, vous pourriez vous sentir vaguement coupable. Bientôt, cependant, vous éprouverez un malicieux sentiment de puissance.

Allez, régalez-vous.

LES DATES DES SIGNES SOLAIRES

✳ Bélier : 20 mars au 20 avril

✳ Taureau : 21 avril au 21 mai

✳ Gémeaux : 22 mai au 21 juin

✳ Cancer : 22 juin au 23 juillet

✳ Lion : 24 juillet au 23 août

✳ Vierge : 24 août au 23 septembre

✳ Balance : 24 septembre au 23 octobre

✳ Scorpion : 24 octobre au 22 novembre

✳ Sagittaire : 23 novembre au 21 décembre

✳ Capricorne : 22 décembre au 20 janvier

✳ Verseau : 21 janvier au 19 février

✳ Poissons : 20 février au 19 mars

Note : Les dates des signes solaires sont approximatives. Les dates exactes varient d'une journée selon l'année.

CHAPITRE 3

Bélier : celui qui bouscule tout

**Soleil en Bélier : du 20 mars au 20 avril
Planète en domicile : Mars**

À la recherche d'un égal : J'organise un concours et le premier qui me rejoint gagne. Ne me faites pas perdre mon temps si vous n'êtes pas une personne aux goûts raffinés, intelligente, athlétique, audacieuse et capable d'encaisser une remarque occasionnelle.

Appelez-moi. Maintenant.

L e Bélier est le signe de l'action, ce qui signifie que vous n'irez nulle part avec lui si vous ne pressez pas le pas. Selon une vérité bien connue mais peu répandue : on ne peut manipuler que les personnes qu'on arrive à suivre. Et l'on peut attraper un Bélier en faisant à peu près n'importe quoi, parce que la peur est au Bélier ce que la sincérité est au vendeur de voitures usagées.

Le Bélier est le premier signe du zodiaque, si bien que tout le système solaire tourne autour de lui. C'est du moins ce qu'il croit. Le prix pour être admis dans l'univers du Bélier est de devenir une petite planète filante, aussi faites semblant de graviter autour du Bélier pour mieux le manipuler.

Le doyen de la domination

La planète en domicile du Bélier est Mars, dieu de la guerre. Il faut donc retenir que le Bélier est un signe dominant. Pour le manipuler avec succès, laissez croire au Bélier qu'il est aux commandes. Si votre amoureux, amie ou patron est Bélier, observez les règles suivantes tout en donnant l'impression de vous soumettre.

Soyez direct

Le Bélier prend tout au pied de la lettre. Il ne saisira pas les allusions que vous lui ferez, et celles-ci tomberont à plat à ses pieds et ne serviront qu'à ralentir sa marche. Ce qui lui déplaît souverainement.

Morale : Ne faites pas d'allusions.

Allez droit au but

Dans une conversation avec un Bélier, évitez les digressions et cessez de parler pour parler. N'hésitez surtout pas à exprimer le fond de votre pensée, mais ne creusez pas indéfiniment. Ce que vous considérez comme de la complexité refoulée ressemble de très près, aux yeux du Bélier, à des lamentations déclarées.

Morale : Le Bélier risque d'avoir levé les pattes avant la fin de votre phrase alambiquée.

Suivez les ordres

Ou faites mine de les suivre. Donner des ordres relève de la responsabilité du Bélier. La vôtre consiste à les suivre. Le Bélier oublie souvent que vous êtes un adulte compétent et vous dit des choses que vous savez pertinemment. Ne perdez pas votre temps ou le sien à lui dire que vous n'avez pas oublié comment vous rendre au bureau de poste, que vous savez où est rangée la laisse du chien et que vous avez déjà conduit une voiture.

Morale : N'attendez pas de docilité de sa part.

Répondez au Bélier. Tout de suite.

Ne faites pas attendre un Bélier. Le Bélier a beau être maître de son destin et capitaine des âmes de tout le monde, il n'a certainement pas maîtrisé l'art de la patience. En fait, la prédisposition génétique à l'attente ne fait pas partie de l'ADN du Bélier guerrier. Il n'éprouve aucun intérêt à cultiver sa patience, qu'il considère comme une perte de temps.

Morale : Si vous faites attendre un Bélier, vous attendrez son retour indéfiniment.

Les signes distinctifs du Bélier

Le Bélier présente des attributs que ne possède aucun autre signe astrologique. Il n'est donc pas nécessaire d'être fin psychologue pour le reconnaître. La combinaison unique des traits du Bélier est plutôt charmante et en fait une personne qu'on aime fréquenter. Il vous suffit de les tourner à votre avantage.

L'idéalisme. Le Bélier est l'idéaliste du zodiaque. Dans son monde idéal, le Bélier fait son chemin à coups de machette, de scènes de poursuite en voiture et de rencontres amoureuses. Voilà le monde dans lequel vit le Bélier. Assénez-lui une réalité terre à terre et il se décomposera.

L'impétuosité. La bravoure du Bélier le pousse souvent à réagir sans envisager les conséquences. Les défis déclenchent chez la plupart d'entre nous certaines réactions programmées : stimuli-réflexion-réaction. Chez le Bélier, le processus saute une étape et devient : stimuli-réaction. Vous tenez là une occasion d'amener le Bélier à faire ce que vous souhaitez qu'il fasse.

L'absence de modestie. Le Bélier est prêt à admettre qu'il est non seulement le premier, mais aussi le plus gentil, le plus intelligent et, bien sûr, le plus beau signe du zodiaque. Tous les Béliers s'entendent là-dessus. Et puisque vous ne pouvez les contredire, dites donc comme eux.

L'élégance vestimentaire. Afin que vous le remarquiez, le Bélier enfile parfois un petit ego. Ça ne lui va pas très bien.

Êtes-vous d'humeur à manipuler un Bélier ? L'entreprise est risquée puisque le Bélier s'oppose à la manipulation, qui heurte son idéalisme.

Le Bélier est honnête et s'attend à ce que vous le soyez aussi. Combinez cette caractéristique au penchant notoire du Bélier pour résoudre les problèmes avec précision, impétuosité et rigueur, et vous saisirez tout l'intérêt pour vous d'apprendre à bouger vite. Il en va de votre sécurité.

Morale : Si un Bélier vous surprend à le manipuler, il tirera à vue et s'inquiétera ensuite de savoir si vous lui pardonnerez. Mais parions que le Bélier n'y verra que du feu : il n'est pas fort sur l'introspection et ne connaît rien à la subtilité, ce qui sert fort bien vos fins manipulatrices.

La règle fondamentale de la manipulation

Le Bélier a un faible pour la compétition et ne dit jamais non à un concours, que ce soit pour le titre du conducteur le plus rapide ou pour être le premier à avoir accès à la suite de luxe, ou pour déterminer celui qui peut vider son compte bancaire avec le plus de panache. Quel que soit le concours et quelle que soit la relation que vous entretenez avec votre Bélier, retenez cette règle d'or : on ne laisse jamais un Bélier gagner.

Imaginons un jeu. Ce peut être un jeu de société comme le Monopoly ou le mariage. Vous croyez que la meilleure façon de faire plaisir à votre compétitif Bélier est de lui donner ce qu'il veut : la victoire.

C'est votre tour et vous jouez gros jeu. Vous avez fait main basse sur la Place du Parc et sur la Promenade. Un coup de dés sépare le Bélier de l'une ou l'autre de vos propriétés, mais il est à court de fonds et ne peut réhypothéquer ses chemins de fer.

Bélier : Si tu places un hôtel sur la Promenade et que j'arrive dessus, tu vas gagner. (Le Bélier donne toujours des instructions, même quand ce n'est pas dans son intérêt.)

Vous : Mmm, au prochain tour, peut-être.

Votre Bélier se renfrogne, alors vous croyez naturellement qu'il est content. Votre tour venu, vous lancez les dés et atterrissez sur le chemin de fer de votre adversaire, à qui vous ne pouvez payer le tarif, si bien que vous perdez la partie. Vous présumez alors que votre Bélier est vraiment content. Vous vous trompez.

Morale : Le Bélier n'aime que les personnes qui les battent. Laissez gagner un Bélier et vous n'aurez plus jamais l'occasion de vous mesurer à lui.

Oui, la relation est une éternelle compétition. Oui, c'est lassant et cela alimente l'irritation du Bélier. Mais c'est son état naturel. Il vaut mieux être affligé d'un Bélier de mauvais poil que d'un Bélier qui s'ennuie, car un Bélier qui s'ennuie ira chercher ailleurs un tourmenteur à sa mesure.

Mettez le Bélier au défi de faire comme vous

Misez sur la nature compétitive du Bélier pour l'amener à faire une tâche déplaisante ou fastidieuse. Voici quelques stratégies pour obtenir ce que vous voulez d'un Bélier.

Recourez aux compliments

Vous aimeriez que votre Bélier reconfigure votre chaîne stéréo. Vous pourriez simplement le lui demander. Sauf que le Bélier pourrait dire non tout aussi simplement. Et un Bélier qui dit non se ravise rarement.

Vous : On pourrait écouter de la musique, mais mon ordi n'est pas branché avec le cinéma maison. C'est dommage : j'aime tellement tes découvertes musicales et tu t'y connais en électronique.

Bélier : Allume ton ordi, je vais regarder ça.

Morale : Faites un compliment au Bélier. Il n'en attend pas moins de vous et vous obtiendrez ce que vous méritez.

Essayez les insultes

Osez dire que vous pouvez faire quelque chose mieux que le Bélier. Chaque fois que vous menacez sa confiance en lui, le Bélier le prend comme une insulte. Mais aussi comme un défi.

Imaginons que vous souhaitez confier une corvée de mécanique au Bélier. À tout prendre, ce dernier préférera toujours une activité plus élégante comme faire du vélo. Pour encourager votre Bélier à ouvrir son coffre à outils plutôt qu'à gonfler ses pneus, essayez ceci :

Vous : Je ne doute pas que tu saurais remplacer la batterie, mais j'en viendrai probablement à bout plus vite.

Bélier : Ha ! Pousse-toi.

Morale : Amenez le Bélier à faire tout ce que vous voulez en titillant sa fibre compétitive.

Encouragez l'action

Ne posez pas de question fermée. Si vous le faites, le réflexe du Bélier sera toujours de dire « Non ! » Formulez plutôt votre requête d'une façon qui commande une action en guise de réponse.

Vous : On a deux solutions. On peut rester assis ici jusqu'à ce qu'on se fasse arrêter. Ou on peut se rhabiller et aller chez nous.

Bélier : Ne me dis pas quoi faire. On va aller chez vous.

Exactement ce que vous aviez en tête de toute façon.

Sur la corde raide : le Bélier et l'amour

Au chapitre des relations amoureuses, le Bélier est un kamikaze. Non content de se précipiter là où des anges n'osent mettre le pied, il prend le sien dans une dispute amoureuse vouée à mal finir. Et si votre ciel est bleu, compter sur lui pour provoquer l'orage. N'oubliez jamais à quel point cette relation est potentiellement sans issue.

L'amant Bélier entretient une relation malsaine avec la contradiction. En plus de contredire les autres, il se contredit lui-même, ce qui rend la relation difficile à gérer. C'est qu'il existe une énorme différence entre ce que désire le Bélier et ce qu'il croit désirer.

D'une part, le Bélier aspire à vous voir baiser l'ourlet de sa cape. Mais faites-le et il vous enverra paître. D'autre part, le Bélier vous veut expérimentée, chic et rompue aux secrets de ce monde. Mais si vous l'êtes ou si vous faites mine de l'être, il regrettera que vous ne soyez pas une ingénue politique, sociale et sexuelle.

Attirer le Bélier est facile. Maintenant que vous avez piqué sa curiosité, le Bélier sera toujours déchiré entre l'idéalisme et le besoin de conquête. L'idéalisme perd toujours. Le Bélier fera les premiers pas, probablement avant même d'être entré dans votre champ de vision. Oubliez les présentations officielles et le flirt des premiers jours.

En piquant son intérêt, vous avez créé une occasion. Ouvrez votre jeu trop vite et le Bélier ne verra plus d'intérêt à vous gagner. Attendez trop longtemps et il oubliera votre numéro de téléphone et la couleur de vos cheveux. Songez néanmoins à vous distinguer de la masse. Essayez les stratégies suivantes pour faire vibrer la corde amoureuse du Bélier.

Comment séduire un Bélier

Soyez imprudent. Le Bélier adore le risque. Faites de la moto, de la course automobile, de la montgolfière ou toute autre activité teintée d'une aura de danger et potentiellement fatale.

Morale : Soyez impétueux. Sauter le premier et réfléchir juste avant l'impact final, c'est du grand Bélier.

Mettez-en plein la vue. Faites étalage de vos charmes, de votre esprit et de vos atouts. Le Bélier aime le piquant, l'éclat, le panache ! Si vous n'avez que votre modestie à offrir, le Bélier vous piétinera en accourant auprès d'un sosie de Marilyn Monroe. Et s'il vous remarque, il vous déléguera à une Vierge ou un Poissons, pour qui la modestie est sexy.

Morale : Le Bélier recherche une personne à la hauteur du Bélier.

Comment entretenir la flamme du Bélier

La relation amoureuse avec le Bélier comporte deux phases distinctes : l'attraction et l'entretien. Une personne, deux stratégies.

Attirer un Bélier est facile. Le retenir constitue une épreuve de résistance, d'intrépidité et d'endurance. C'est un exercice d'équilibre entre « Partons vivre ensemble dans le sud de la France » et « Quel est ton nom, déjà ? » Voici quelques pistes :

Gardez vos distances. Ne cédez pas à la première tentative. Gardez à l'esprit que le Bélier carbure aux défis, en amour plus qu'en tout autre domaine.

Morale : Lorsqu'un Bélier vous aura conquis – ou qu'il croira y être arrivé –, il perdra tout intérêt à votre égard. Instantanément, mais pas forcément irrémédiablement.

Prévoyez une retraite stratégique. Le Bélier vous a fait des propositions malhonnêtes, mais vous n'êtes pas prêt à passer à l'horizontale. Essayez ceci :

Vous (*de votre voix la plus rauque*) : Si on allait plus loin maintenant, je n'aurais plus le plaisir d'anticiper la suite.

Bélier : Tu as raison.
Morale : Manifestez de l'intérêt, mais ne cédez pas.

En reculant, vous activez la fonction « défi » et agitez la corde raide. Le Bélier ne vous lâchera plus.

Comment empêcher l'amant Bélier de prendre la poudre d'escampette

Maintenant que le Bélier vous a séduit et que vous avez entrepris une véritable relation amoureuse, d'autres défis vous attendent. La relation amoureuse avec un Bélier vient avec quelques problèmes.

Problème n° 1. Le Bélier brûlera pour vous tant et aussi longtemps que vous serez disponible sans être tout à fait à sa disposition, attentif sans être possessif, dévoué mais indépendant, parfait tout en étant accessible. Et irréprochable.

Problème n° 2. Le Bélier vous sera fidèle tant et aussi longtemps que vous correspondrez à ses idéaux. Mais comme ceux-ci sont inatteignables, vous voyez le problème. Composez avec ces difficultés en évitant la routine amoureuse. Pour entretenir la flamme du Bélier sans pour autant devoir réinventer la roue tous les jours, essayez les techniques suivantes :

Parlons sport. Ce que le Bélier qualifie de « conversation divertissante et stimulante » est, pour nous tous, une utilisation inutilement excessive de la fonction argumentative du cortex cérébral.

Occupez-vous des finances. Parmi toutes les idées qui lui traversent l'esprit, le Bélier entretient celle voulant que l'argent doive circuler. Si cette théorie a du bon en période de récession, elle peut être source d'embarras au quotidien.

Vous : Tu n'as sûrement pas oublié de régler le compte d'électricité ?

Bélier : Laisse faire l'électricité. N'as-tu pas toujours désiré un piano ? Regarde ce que j'ai acheté en rentrant du bureau.

Vous aimeriez bien l'admirer, ce grand piano à queue, mais c'est impossible puisqu'on vous a coupé l'électricité.

Morale : L'approche du Bélier à l'égard de l'argent est économiquement sûre. Aux yeux des banquiers, par contre, elle frise la pornographie financière.

Occupez-vous de la paperasserie. Le Bélier ne demande pas mieux que de vous laisser commander des chèques, remplir les demandes de crédit et renouveler les abonnements, mais ne vous laissera pas faire si vous le lui proposez gentiment. Essayez ceci :

Vous : Laisse-moi régler la paperasse ce mois-ci. Tu as des dossiers bien plus importants à gérer.

Bélier : Tu trouves ? D'accord.

Les interdits du Bélier

✳ **N'allez pas voir ailleurs.** Soyez fidèle. Rappelez-vous que le Bélier est idéaliste. L'amour idéal ne couche pas à droite et à gauche.

✳ **Ne soyez pas jaloux.** Le Bélier peut être jaloux. Vous, non. La femme Bélier répète que la jalousie lui est étrangère tout en cherchant dans la liste des demandeurs les mentions « numéro confidentiel » de rivales potentielles. La femme Bélier n'aime pas que vous remarquiez d'autres personnes de son sexe. Cela signifierait que vous ne la remarquez pas.

Imaginons qu'à la fin d'une soirée, votre Bélier chérie fulmine durant tout le trajet du retour.

Vous (*à votre femme Bélier*) **:** Pourquoi es-tu fâchée que je me sois assis à côté de ta sœur au souper ?

Bélier : Tu lui as parlé toute la soirée.

Vous : Et quand t'es allée souper avec ton ex et que tu es rentrée à 2 h du matin ?

Bélier : C'est différent.

Morale : La jalousie est une rue à sens unique. Résistez à la tentation de laisser le dictionnaire ouvert à la page du mot « hypocrisie ».

✳ **Ne laissez pas le Bélier s'ennuyer.** Pour préserver votre couple et votre équilibre mental, placez votre Bélier à l'abri de l'ennui. Votre meilleure carte consiste à disparaître. Le Bélier sera dans tous ses états. Que s'est-il passé ? Où étais-tu ?

Revenez sans rien dire. Pas d'explication. Votre Bélier sera fringant comme aux premiers jours de votre relation. Vous serez redevenu son idéal : disponible sans être tout à fait à sa disposition, attentif sans être possessif, dévoué mais indépendant, parfait tout en étant accessible. Vous voilà irrésistible à nouveau.

Le patron Bélier

Le patron Bélier est plus facile à gérer que l'amoureux, et ce, pour une raison très simple : vous ne trouvez pas anormal d'obéir à ses ordres.

Le monde des affaires serait bien triste sans les Béliers. Ce sont des innovateurs. Des pionniers. Les maîtres du remue-méninges. Sans les Béliers, les séminaires de vente et les campagnes de publicité ne feraient pas partie de notre culture.

Votre patron Bélier est une personne d'idées. Les idées géniales se bousculent tellement dans sa tête qu'il en oublie forcément quelques-unes. Espérez qu'il en oublie, car vous ne pourrez les mettre toutes en œuvre et trouver le temps d'avaler un sandwich ou même un bol d'air.

Une partie de votre travail consiste à sélectionner les idées géniales, à cibler celles qui sont également pratiques puis à les mettre en œuvre.

Voici comment tirer le meilleur parti d'un patron Bélier.

Agissez maintenant

Téléphonez à quelqu'un. Envoyez un courriel. Écrivez une lettre. Faites la démonstration que vous ne vous tournez pas les pouces. Puis discrètement, compulsez la liste d'idées du Bélier et présentez votre courte liste révisée.

Vous : Voici tes idées.

Bélier : Excellent travail.

Utilisez votre temps à bon escient

Vous avez consacré beaucoup de temps à un projet de votre patron Bélier. Il ne peut qu'être satisfait de votre travail. Vous lui présentez vos résultats de recherche soigneusement documentés.

Bélier : Pourquoi diable as-tu perdu six mois à étudier des cibles de productivité parfaitement inutiles ?

Vous (*à mi-voix*) **:** Parce que tu me l'as demandé.

Bélier : Cesse de marmonner ! C'était rien qu'une idée pour un projet rapide. Tu n'as pas compris ça ? Je saisis ce genre de chose depuis que j'ai trois ans.

Morale : Un patron Bélier préfère obtenir des chiffres approximatifs rapidement que de lointains résultats parfaitement fidèles.

Communiquez directement

Pour régler un problème, rendez-vous directement au Bélier, même si la hiérarchie de l'entreprise le place trois échelons au-dessus de vous. Ne perdez pas votre temps à temporiser avec des intermédiaires. Une fois que vous aurez épinglé le Bélier, allez droit au but avant qu'il vous chasse de son bureau.

Surtout, parlez vite. La communication avec le Bélier n'a rien d'alambiqué. Voilà qui est rafraîchissant et réduit le risque de malentendu. C'est aussi pénible parce que le Bélier entre immédiatement dans le vif du sujet et ne s'embarrasse pas de faire un tourniquet en cas d'hémorragie.

Morale : Suivez l'humeur de votre patron et répondez-lui par des formules claires comme :

✳ « C'est bon. »

✳ « Maintenant. »

✳ « Vas-y. »

✳ « C'est fait. »

Répliquez

La fermeté, particulièrement de la part d'un employé, inspire le respect du patron Bélier. Tenez-lui tête et répliquez.

Morale : L'impertinence auprès du patron Bélier est rentable.

Votre patron Bélier entretient un flou artistique avec les notions de trésorerie, de règle d'or et de valeur de l'argent. Après avoir perdu 20 minutes à tenter de les lui expliquer, vous finissez par perdre patience et lui demandez s'il a déjà vu un solde positif dans un état des résultats.

Le Bélier choisit alors ce moment pour sourire et vous dit ce que vous n'auriez jamais imaginé entendre : « Allons manger. »

Rappelez-vous, lorsque vous manipulez un Bélier dynamique, qu'il présente de nombreux traits charmants, mais que la modestie n'en fait pas partie. Il n'est donc pas surprenant qu'une conversation avec un Bélier soit une conversation sur lui. Cette connaissance du sujet préféré du Bélier s'avère utile lorsque vous tentez d'obtenir ce que vous voulez. De plus, gardez à l'esprit que le Bélier a pour la gestion de crise un penchant qui le pousse à se mêler de six catastrophes avant le déjeuner. Si vous ne préparez pas soigneusement votre plan d'action, votre tentative de manipulation pourrait devenir l'une de ces catastrophes. Manœuvrer sans réfléchir autour d'un Bélier équivaut à chercher une fuite de gaz avec un briquet allumé. Faites-le si, comme le Bélier, vous vous sentez insouciant et audacieux. Impossible, après tout, de ne pas admirer le courage du Bélier : c'est même obligatoire.

CHAPITRE 4

Taureau : l'immobilité à l'œuvre

Soleil en Taureau : du 21 avril au 21 mai
Planète en domicile : Vénus

Je suis économe et fiable. Vous n'avez donc pas besoin de l'être. Les voyages ne m'intéressent pas. Mais je voyagerais volontiers à l'époque où la télé était diffusée en noir et blanc et la musique, en mono. Notre machine à voyager dans le temps devra inclure une cuisine tout équipée et me permettre de traverser les époques et l'espace sans quitter mon fauteuil inclinable.

Avez-vous déjà eu affaire à un Taureau, cet être constant et résolu ? Vous le sauriez. Le Taureau est solide, voire impénétrable. Le Taureau n'offre pas de prise : pas d'armure que vous pouvez faire tinter, pas d'aspérité sur laquelle prendre pied ni de vision périphérique connue. Ces œillères qui l'affublent constituent votre meilleur avantage. À moins que vos manigances se déroulent dans son champ de vision, il ne les verra pas. Vous pouvez donc vous permettre n'importe quoi.

On trouve des Taureaux partout où leur solidité et leur amour de la tradition peuvent s'exprimer, entre autres :

✳ dans les immeubles de bureaux, plongés dans leur travail ;

✳ au club des Lions ou dans l'Association des femmes d'affaires, écoutant patiemment le conférencier ou la conférencière ;

✳ à la banque, en train de faire un dépôt ou de refuser une demande de crédit ;

✳ en voiture, résistant à l'envie de dépasser la vitesse permise pour rentrer chez lui le plus vite possible.

Gare aux obstacles

Derrière la façade décontractée et bon enfant du Taureau se cache un redoutable adversaire. Le Taureau ne passe jamais à l'action parce qu'il n'a pas besoin de le faire. Son système de défense et sa robuste cuirasse le protègent des petits importuns qui tentent de le manipuler. Que votre Taureau soit une amie, un amant ou un employeur, vous devez connaître les obstacles qu'il vous faudra surmonter pour obtenir ce que vous voulez.

La barricade du pragmatisme

Lorsque vous voulez obtenir quelque chose du Taureau, posez-vous la question suivante : est-ce pratique ? Si ce ne l'est pas, donnez-lui-en l'apparence. Les projets lointains et sophistiqués sont au Taureau ce que la compassion est à un agent du ministère du Revenu. Présentez un plan pratique et réaliste. Pour qu'une proposition soit réelle, le Taureau doit être en mesure de la voir, de la toucher, de la manger ou de la déposer dans un fonds commun de placement à rendement élevé.

Par exemple, pour convaincre votre Taureau de mari d'installer une fontaine dans le jardin, vous devrez :

✳ disposer d'un plan ;

✳ le présenter d'une façon concrète ;

✳ commencer à en parler quelques saisons d'avance.

Soyons précis : parlez-en au Taureau à l'automne si vous souhaitez lancer les travaux au printemps. Faites dessiner les plans, estimez les coûts et la façon de les absorber, et présentez-lui l'élévation en couleurs que vous aura remise l'architecte. Laissez-lui ensuite le temps d'y réfléchir.

Morale : Planifiez et ne demandez pas une réponse rapide.

Le détour

C'est vous qui le ferez parce que le Taureau ne dévie jamais de sa route. Le Taureau est cette conductrice fanatique qui, en route vers sa destination de vacances, refuse d'arrêter pour des raisons frivoles comme aller aux toilettes ou manger. Sur l'autoroute de la vie, le Taureau, une fois lancé, ne modifie pas ses plans. Vous devrez donc faire preuve de créativité pour atteindre vos objectifs sans tenter de convaincre votre Taureau de modifier les siens.

Morale : Apprenez à contourner le Taureau lorsqu'il est campé sur ses positions, ce qui est toujours le cas.

La muraille de la détermination

Le Taureau porte des œillères, si bien qu'il ne remarquera pas ce que vous manigancez lorsque vous le manipulez. Poursuivez donc vos manigances et votre planification. Le Taureau risque peu de vous surprendre. Et s'il le fait, vous n'en entendrez pas parler avant l'accomplissement de votre mission.

Le Taureau pratique

Les néophytes de l'astrologie affirment que les Taureaux sont ennuyeux. C'est faux. Seulement, ils sont prévisibles. Ce peut être réconfortant, particulièrement après avoir fréquenté un Verseau débridé ou un Gémeaux pour qui le calendrier est une vue de l'esprit. Le Taureau séduit par la sensation de sécurité qu'il procure. Les Taureaux sont des apôtres de la stabilité, ce qui peut être très séduisant. Regardez le Taureau : il est si bien adapté. Il témoigne des bienfaits d'une vie paisible.

Ce côté pratique et terre à terre signifie que le Taureau est rarement la proie de la paranoïa. Ce n'est pas qu'il soit obtus. Au contraire! Seulement, le Taureau ne dispose pas d'antennes pour détecter quoi que ce soit qui ne correspond pas à un chemin droit et étroit ou à un horaire planifié. C'est donc l'occasion pour vous de le manipuler. Quelle joie! Pour réussir à manipuler un Taureau, vous devez rester sur son terrain et faire mine de jouer selon ses règles. Vous gagnerez à utiliser une façade. En voici une qui a fait ses preuves.

Ayez l'air: stable, direct.

Mais soyez: fourbe et rusé (puis outrepassez ses décisions).

Essayez cette visualisation de manipulation: Visualisez-vous guidant un Taureau dans un jardin fleuri jusqu'à une porte donnant sur une salle parfumée, ornée de draperies, de meubles et de tapis somptueux. Puis tirez le tapis de sous les pieds du Taureau. C'est la meilleure façon de le prendre par surprise.

Déboulonnons les stéréotypes qui affligent le Taureau

Certains stéréotypes ne méritent pas d'être commentés. Il est exagéré de dire que les Taureaux sont avares. Qu'y a-t-il de mal dans le fait d'aimer accumuler des actifs matériels?

Il est faux de dire que le Taureau ne sourit que lorsqu'il dépose un chèque à la banque, qu'il obtient une promotion ou qu'il fait saisir une ferme. Le Taureau a la réputation d'être impitoyable à l'égard des moins fortunés. C'est également faux. Les Taureaux sont très conscients de l'existence de leurs concitoyens défavorisés et compatissent avec eux. Les Taureaux prient le Ciel de ne jamais être pauvres et vénèrent leur banque, qu'ils considèrent comme le dernier rempart qui les protège de la rue.

Cela dit, vous ne vous rendriez pas service si vous oubliiez que les Taureaux aiment la finance. Habituez-vous à leur côté banquier. Et apprenez à composer avec leur tempérament très terre à terre en retenant les consignes suivantes :

Ne faites pas d'allusions. La psyché du Taureau est imperméable aux allusions. Voyez le Taureau comme une roche. La seule façon d'user une roche est d'y faire couler un filet d'eau constant, pendant des années. Les allusions n'altéreront pas la surface de la roche.

Morale : Soyez constant et direct dans vos communications avec le Taureau.

Laissez de côté les manœuvres psychologiques. Puisque le Taureau n'est pas un manipulateur, il ne reconnaîtra pas votre manège. Ménagez-vous, et ménagez vos munitions.

Pressentez le Taureau avec doigté. Le Taureau est agréablement constant dans sa façon de communiquer. La lenteur de son discours a quelque chose de séduisant. Le Taureau n'apprécie donc pas qu'on le bouscule dans un rythme de conversation frénétique. Si vous êtes pressé (ou si votre thème astral compte beaucoup de Béliers, de Verseaux ou de Gémeaux), ralentissez. Beaucoup.

Gardez les pieds sur terre. C'est ce que fait le Taureau. Si vous ne le faites pas, le Taureau s'en chargera à votre place. Tel un contrôleur aérien par temps de brouillard, le Taureau veille à ce que vous ne quittiez pas le sol.

Laissez le Taureau prendre les commandes. Le Taureau est sans pareil pour tenir le cap et garder les choses en main. Laissez-le jouir de sa petite obsession. Ne vous en faites pas si vous avez l'impression d'avoir abdiqué votre liberté : vous pourrez toujours la reprendre plus tard.

Comme un roc : l'amoureux Taureau

Aspirez-vous à une relation amoureuse paisible et stable ? Sûrement, si vous sortez d'une relation avec un Poissons ou un Scorpion, passés maîtres dans les manœuvres psychologiques, ou avec un frivole Gémeaux. Alors que vous cherchez autour de vous une once de repos et de prévisibilité, vos yeux se posent sur le Taureau. La promesse d'une telle stabilité est extrêmement séduisante.

Vous avez raison, l'amoureux Taureau présente les mêmes vertus innommables que vos amis ou partenaires d'affaires du même signe. La constance est la première qui vous sautera aux yeux. Si vous n'étiez pas en libération conditionnelle d'une relation avec l'un des signes querelleurs, vous remarqueriez quand même le Taureau.

Forte de cette stabilité et de cette fiabilité, votre relation amoureuse s'annonce durable. Étant peu sujet à la paranoïa, le Taureau n'est pas une nature inquiète, sauf en ce qui concerne la sécurité de ses biens. Le Taureau aime garder ses actifs ensemble. Il veut aussi s'assurer que lorsque votre couple s'étiolera, vous n'emporterez avec vous que ce que vous aviez apporté. Ne soyez donc pas surpris si le Taureau vous propose un contrat, histoire de parer à une éventuelle rupture.

Si vous avez l'habitude de fréquenter des indécis et des caractères mous, l'amoureux Taureau vous donnera l'impression de flotter dans une piscine, ne quittant l'eau rafraîchissante que pour vous envelopper dans une serviette moelleuse, alors qu'une brise printanière caresse votre peau. Cette opération charme sur vos sens vous prendra non seulement par surprise, mais vous en privera pour longtemps.

Pendant que vous flottez dans l'extase sensorielle, le Taureau prend des décisions. Et lorsqu'il a une idée en tête, rien ne l'en détourne. Le Taureau fonce droit sur sa cible, c'est-à-dire vous. Si vous ne vous sentez pas taillé pour ce rôle, fuyez. Vous gagnerez un peu de temps jusqu'à ce qu'il retrouve votre trace.

Comment séduire un Taureau

Maintenant que vous avez attiré l'attention du Taureau, vous n'aurez pas de mal à la maintenir, particulièrement si vous gardez les consignes suivantes à l'esprit.

Sollicitez les sens du Taureau. Le Taureau est sensible à l'atmosphère. Toute action susceptible de flatter ses sens lui plaira. Faites-lui couler un bain. Donnez-lui un massage aux huiles parfumées et relaxantes.

Morale : Rendez le Taureau sensible à vos désirs par des tactiques sensuelles.

Créez un environnement confortable. Rappelez-vous que le Taureau adore le confort. Malgré ce penchant, toutefois, même l'environnement le plus luxuriant et parfumé ne les convaincra pas d'aller aux extrêmes.

Morale : Misez sur la modération. Le Taureau aime aussi compter sur le caractère rassurant de la tradition.

Pour ce faire, parlez de la famille. Le Taureau aime la sécurité que représente la famille. Celle-ci évoque la permanence et suppose une continuité qui lui plaît. Allez-y mollo toutefois. Vous ne convaincrez pas le Taureau que votre famille est la meilleure de toutes, et faites preuve de doigté en traitant sa propre famille ou ses ancêtres avec respect.

Le Taureau aimera savoir que votre famille est plus distinguée que la sienne. Il aimera entendre que vos ancêtres sont arrivés au pays à l'époque de la Nouvelle-France. Mais n'allez pas comparer votre pedigree au sien. Par exemple, ne soulignez pas le fait que ses ancêtres sont arrivés sur le continent parce qu'ils y ont été déportés plutôt qu'en tant qu'immigrants de bon aloi.

Morale : Un manque de respect à l'égard des racines du Taureau est une provocation qui le poussera à charger.

Admirez le foyer du Taureau. Il vous en donnera souvent l'occasion puisque vous y passerez de nombreuses soirées. Le Taureau n'est jamais si bien que chez lui. Si votre Taureau est un vadrouilleur, c'est que son thème astral est dominé par le signe des Gémeaux. Vous percevez déjà le parfum de l'ennui ? Soyez philosophe : vous économiserez une fortune en vêtements. Vous n'aurez pas besoin d'une grande garde-robe pour faire le tour de son cercle.

Comment inciter le Taureau à sortir

Vous aurez parfois un besoin irrépressible de sortir. Vous avez envie d'une soirée dans un grand restaurant ? Préparez votre mise en scène chaque fois que vous demandez à un Taureau de se séparer de certaines possessions, qu'il s'agisse d'actifs tangibles ou d'une interminable soirée chez lui.

Les méthodes de manipulation amoureuse traditionnelles ont fait leurs preuves. Inondez la maison d'arômes de pain ou de plats réconfortants, et placez sur la table un bouquet de fleurs que vous aurez cueillies au jardin.

Comme toujours, le Taureau a besoin d'être averti longtemps d'avance. Attirez son attention sur le caractère accueillant de la destination projetée.

Vous : Chéri, j'ai pensé qu'on pourrait sortir la fin de semaine prochaine.

Taureau (*fronçant les sourcils*) **:** Mais on est si bien chez nous !

Vous : Évidemment qu'on est bien ici. J'adore, tu le sais bien. Mais je sais que tu cherches toujours des moyens de rendre notre nid plus confortable. J'ai entendu dire que la coutellerie et les coussins des fauteuils du nouveau restaurant de Laprise étaient exactement ce qu'il nous fallait ici.

Bien sûr, ce ne sera pas si simple, aussi préparez-vous à devoir revenir à la charge. En recourant à cette tactique élémentaire à quelques reprises, vous obtiendrez gain de cause. Si la tactique échoue, cependant, proposez de ramasser l'addition.

Comment inciter le Taureau à d'autres aventures

Après cette première expérience de sortie au restaurant, vous aurez envie de sortir encore plus souvent. Curieusement, les vacances pourraient s'avérer votre meilleur choix : lorsque le Taureau s'installe quelque part, il aime y rester.

Au moment de proposer un voyage, faites-le en douceur. Trouvez des façons de rendre la proposition plus appétissante (c'est-à-dire de montrer qu'elle ne coûte pas trop cher).

Proposez de voyager en basse saison. Ayez votre liste de destinations privilégiées sous la main, sans quoi le Taureau pourrait se découvrir une envie d'explorer l'Alaska en février ou le Maroc en août.

Vous pourriez aussi tabler sur l'attrait qu'exerce le confort domestique sur le Taureau. Puisque certains hôtels sont vraiment très impersonnels (sous-texte : coûteux), vous pourriez amener votre Taureau à envisager des vacances en Europe en lui proposant un échange de maison. Vous pourrez même échanger les voitures. Ne forcez pas la note, sans quoi vous pourriez finir par avoir envie d'échanger les conjoints aussi.

Le patron Taureau

Les personnes nées sous le signe du Taureau sont taillées sur mesure pour le patronat. Les Taureaux, qui par nature font partie de la confrérie des gens d'affaires, savent garder l'œil sur les profits. Ils occupent diverses fonctions au sein de l'entreprise, mais plus probablement la première ligne lorsque vient le temps de répondre à des requêtes financières. D'autres signes au cœur tendre, comme le Poissons, ou obsédés par l'harmonie, comme la Balance, sont de bonnes poires comparées au Taureau, à qui on ne raconte pas d'histoires. On peut parier que des signes moins intraitables ont appris tôt l'avantage de confier les cordons de la bourse à un Taureau. Il n'y a pas plus responsable que lui.

Le Taureau sait aussi se contrôler et ne se répandra jamais en manifestations émotives au bureau. Le Taureau les trouve du plus mauvais goût.

Votre patron Taureau est toujours au bureau, ce qui peut être ennuyeux les jours où vous préféreriez être ailleurs. Comme les Taureaux de votre vie personnelle, les patrons Taureaux sont sensibles à leur environnement. Faites de votre bureau un lieu invitant. Placez-y une ou deux plantes : le vert (celui d'un billet de 20 $) exerce un effet apaisant sur le Taureau. Vous ne devriez jamais lui présenter une demande extravagante, comme une augmentation de salaire, sans avoir d'abord soigné le décor. Voici d'autres pistes de bonne entente avec votre patron Taureau.

Parlez du long terme

Lorsque vous lui parlez, privilégiez des formules chères au Taureau. Ce dernier aime placer l'avenir au cœur de la planification d'affaires. Commencez vos présentations au moyen de formules comme les suivantes :

✳ La perspective à long terme est…

✳ Au cours des prochaines années, surveillez les…

✳ On peut s'attendre à observer d'importantes économies au cours des 10 prochaines années.

Parlez la langue du Taureau

Il est également payant de s'en tenir aux faits lorsqu'on discute avec le Taureau. Votre patron ne présente aucun penchant pour les conversations qui ne vont nulle part, matière forte des Gémeaux, et les communications ésotériques dont raffolent les Poissons. Le Taureau est économe dans tout ce qu'il mange, boit et écoute.

Morale : N'embellissez pas vos conversations.

Montrez vos progrès

Vous travaillez sur un projet de longue haleine. Vous avez mis des mois à abattre la moitié du travail. Vous tenez un registre détaillé de vos progrès dans le calendrier de votre ordinateur. Grossière erreur.

Le Taureau veut être en mesure de voir vos progrès. Suivez-vous aussi votre échéancier à l'aide d'un calendrier mensuel sur votre téléphone intelligent ?

Deuxième erreur.

Réservez votre téléphone intelligent pour votre usage personnel et affichez un échéancier de 12 mois dans votre bureau.

Morale : Le Taureau a besoin de voir les progrès accomplis pour y croire.

Jouez la carte de l'économie lorsque vous faites des achats

Vous aimeriez renouveler votre équipement de bureau. Votre ordinateur n'a presque plus de mémoire disponible. Il compte 10 ans de service, utilise une imprimante matricielle et son processeur est beaucoup trop lent pour exécuter le plus récent système d'exploitation ? Le Taureau ne remplace rien avant de l'avoir reconstruit. Puisqu'il est lui-même fait pour durer, il s'attend à ce qu'il en soit ainsi pour tout le reste. Votre ordinateur, par exemple.

Votre patron Taureau a déjà installé plus de cartes mémoires et a dépensé autant en mémoire supplémentaire pour votre ordinateur que ce qu'un neuf lui aurait coûté. En vrai Taureau, votre patron ne veut rien remplacer.

Vous si, par contre, alors planifiez. Montrez à votre patron une circulaire de magasin annonçant des ordinateurs neufs à prix réduit. Réunissez ensuite les reçus de caisse des composantes d'ordinateur achetées au fil des ans et placez-les stratégiquement sous le nez du Taureau.

Mettez toutes les chances de votre côté en agrafant l'addition des coûts (à ce jour) de toutes les composantes qui ont servi à rebâtir l'ordinateur. Votre mise en scène est enfin prête pour votre putsch informatique.

Vous : J'ai fait le tour des dépenses d'équipement et je me suis rendu compte que le service pourrait acheter un nouvel ordinateur pour moins cher que ce qu'il en coûterait pour mettre le vieux à niveau.

Vous avez capté l'attention du Taureau et semé la graine. Attendez patiemment qu'elle germe et vous finirez par obtenir ce nouvel ordinateur.

Planifiez

Vous aimez les échéances serrées et les conférences de dernière minute ? Le Taureau les déteste.

Morale : La gestion de crise n'est pas l'activité préférée du Taureau.

Tenez le Taureau informé

Il n'y a pas lieu de craindre un patron Taureau. Il n'est pas influençable et sait se montrer très rassurant, particulièrement si vous avez commis une erreur (sauf celle de ne pas être préparé). Il ne piquera pas de crise et cherchera plutôt une solution pratique à votre problème.

Morale : En cas de problème, avertissez immédiatement le Taureau.

Faites valoir les économies lorsque vous demandez une augmentation salariale

Après avoir fait un si bon travail, le Taureau voudra naturellement vous récompenser, ou peut-être pas. Vous l'aurez deviné, cette avenue comporte ses difficultés. Vos chances seront meilleures si vous jouez bien vos cartes. D'abord, abordez le Taureau lorsqu'il est de bonne humeur. Le Taureau est un signe accommodant à une exception près : il peut être chatouilleux quand vient le temps d'évaluer la position financière du service.

Évitez le Taureau lorsqu'il se trouve au milieu d'un cycle financier. S'il doit se pencher sur les comptes fournisseurs et les revenus le premier et le 15 du mois, prévoyez une réunion à l'extérieur du bureau. Ou à l'extérieur de la ville, voire du pays.

Lorsque vous demandez une augmentation salariale, faites valoir les économies qu'elle permettra de réaliser. Dressez un plan. Attirez l'attention du Taureau sur un article traitant des avantages sociaux aussi attrayants que coûteux que s'attendent à recevoir les nouveaux employés. Laissez l'information fermenter.

Vous : Après avoir étudié le dossier, je crois que nous pourrions réduire nos coûts de main-d'œuvre.

Taureau (*en levant les yeux des pages économiques du journal*) : Oui ?

Vous : J'ai regardé les dépenses qu'entraîne le roulement de personnel. Pour ce qu'il en coûte d'annoncer une offre d'emploi, d'engager un chasseur de têtes ou de former une recrue, nous pourrions accorder une légère augmentation générale et réduire le risque de voir des employés partir.

Il va sans dire que vous profiterez aussi de cette augmentation. Laissez l'idée fermenter.

Morale : Ne forcez pas la note pour obtenir une réponse. Laissez le Taureau y réfléchir longtemps. Peut-être même jusqu'au prochain trimestre. Vous n'avez pas cette patience ? Observez le Taureau. Il déteindra peut-être sur vous. Vous en aurez besoin.

Rappelez-vous que le Taureau vous attire par son caractère rassurant et vous torturera par sa ténacité. Le Taureau avance lentement dans la vie ; mais puisque la manipulation lui est étrangère, il ne remarquera jamais votre traîtrise si vous le guidez dans la bonne direction. Imitez donc sa détermination en peaufinant votre stratégie et en voyant loin, et vous finirez par obtenir gain de cause. Soyez patient, toutefois, très patient.

CHAPITRE 5

Gémeaux : les stars du subterfuge

Soleil en Gémeaux : du 22 mai au 21 juin
Planète en domicile : Mercure

Emploi temporaire recherché : Habile causeur – apte à jongler avec plusieurs téléphones, maîtrise Internet et les contorsions verbales – souhaite intégrer une équipe de façon strictement temporaire. Suis joignable pour l'instant sur mon cell. Je devrais être câblé de façon permanente d'ici le mois prochain.

P arler, parler, parler. Un Gémeaux a-t-il traversé votre ciel récemment ? Si vous n'êtes pas déjà un acrobate verbal, apprenez sans tarder quelques prouesses linguistiques, jonglez mieux que ça avec les verbes du troisième groupe, et supprimez le mot « permanent » de votre vocabulaire.

Les Gémeaux sont de remarquables auditeurs. Confiez-leur vos confidences en toute confiance. Auprès d'eux, vos secrets seront entre bonnes mains, non pas parce qu'ils sont loyaux jusqu'à la tombe, mais bien parce qu'ils oublient ce que vous leur avez dit dès qu'ils ont lancé une autre conversation, c'est-à-dire immédiatement, à moins qu'elle n'ait déjà commencé.

Repérez les Gémeaux partout où ça bavarde, où ça combine et où ça bouge. Vous les trouverez particulièrement :

* à une réunion de réseautage d'affaires ;

* vissés à un ou deux téléphones ;

* dans une agence de pub, en train de pondre le prochain slogan à la mode ;

* dans un magasin d'électroménagers, en quête d'un four à micro-ondes plus rapide ;

* sur la colline parlementaire, en train de traficoter au sujet du prochain budget ;

* sur un coup fumant pour le magazine *Dernière heure*.

On trouve des Gémeaux à l'animation du bulletin de nouvelles de 18 h ou conspirant à mi-voix près de la machine à café. Où qu'ils soient et quoi qu'ils fassent, ce sont des virtuoses du verbe. Ils maîtrisent aussi parfaitement le principe de circulation de l'information ; autrement dit, les Gémeaux adorent potiner.

Les jumeaux

Lorsque vous manipulez une personne Gémeaux, gardez toujours à l'esprit son symbole astrologique : les jumeaux. Comprenez qu'elle a deux personnalités, voire davantage. Pas étonnant qu'elle parvienne à faire deux choses en même temps. Elle peut aussi avoir deux amours, mais ce n'est pas problématique à moins que vous soyez l'un des deux.

Morale : La personne Gémeaux n'est pas aujourd'hui ce qu'elle sera demain. Les Gémeaux sont polyvalents, mais vous devrez composer avec leurs manies. Voici ce à quoi il ne faut pas s'attendre de leur part.

N'attendez pas de stabilité

Le Gémeaux utilise sa double personnalité pour étourdir la galerie, à tel point que vous ne sauriez atteindre son point faible même si vous le trouviez. Vite sur ses patins, il pense aussi plus vite que tout le monde et parle assez vite pour vous couper le sifflet.

Morale : Espérer de la stabilité d'un Gémeaux équivaut à croire qu'un politicien tiendra ses promesses. En plus d'être naïf, vous perdrez votre temps.

N'attendez pas d'engagement

Imaginons que vous souhaitez vous entretenir avec un Gémeaux sur un sujet important. La conversation commencera à peu près ainsi :

Vous : Et puis, ami Gémeaux, que veux-tu faire quand tu seras adulte ? Si tu le deviens, évidemment.

Gémeaux (*enthousiaste*) **:** Eh bien, je me disais que je pourrais… (il se lancera dans un exposé avec une telle éloquence qu'il en perdra presque la voix.)

À la fin de l'exposé du Gémeaux, aurez-vous l'impression d'avoir obtenu une réponse claire ? Vous ne devriez pas : le Gémeaux vient d'écouler toute la conversation à parler, à louvoyer et à s'agiter avec un brio qui cache le fait qu'il n'a encore aucune idée de ce qu'il fera dans un avenir rapproché.

Morale : Pour le Gémeaux, les mots servent à jongler, à mystifier et à leurrer l'entourage. Vous devrez donc apprendre à utiliser les mêmes leurres pour le prendre à son propre piège.

L'arsenal verbal

Vous pouvez obtenir ce que vous voulez du Gémeaux à condition d'être habile avec les mots. Voici la meilleure façon d'en tirer profit lorsque vous manipulez le Gémeaux ou, pour utiliser son langage, comment atteindre vos objectifs auprès du Gémeaux en deux coups de cuillère à pot.

Faites des mots vos meilleures armes

Le Gémeaux utilise les mots comme des dards et s'attend à ce que vous lui en envoyiez quelques-uns en retour. Séduisez-le avec des mots comme « vite », « temporaire » et « flexible ». Puis envoyez-le dans les câbles en lui parlant de long terme, de routine et de stabilité.

Apprenez le vocabulaire du Gémeaux

Sentez-vous vos mains devenir moites à la vue d'un diction-naire ? Tremblez-vous lorsque vous feuilletez un dictionnaire de synonymes ? Pour damer le pion au Gémeaux, jouez sur les mots, les siens. Mémorisez ces définitions du dictionnaire des Gémeaux :

✳ *Horloge* : instrument de torture primitif servant à forcer les Gémeaux à faire preuve de ponctualité.

✳ *Engagement* : État de celui qui s'est fait épingler ; et conduit souvent à l'ennui et à une certaine mort.

✳ *Emploi* : Entreprise qui rapporte un peu d'argent en échange d'énormes sacrifices sur le plan des loisirs ; exige habituelle-ment un engagement (voir la définition précédente).

Ces mots sont à proscrire auprès du Gémeaux. Ne les utilisez pas.

Méfiez-vous des sottises du Gémeaux

Le Gémeaux est dangereux. « Comment est-ce possible ? » direz-vous. C'est une personne si gentille, si charmante. Et vive et persuasive.

C'est bien ce qui la rend dangereuse.

Le Gémeaux vous éblouira de ses prouesses tout en se tirant des ennuis et en gagnant votre confiance. Ouvrez l'œil !

Méfiez-vous du charme du Gémeaux

Ces jumeaux ont du bagout. Ils sont cachottiers et ingénieux. Ils peuvent convaincre un homme de quitter un emploi qu'il n'a pas encore obtenu. Ils peuvent vous convaincre de faire des choses que vous vous refusiez de faire.

Morale : Le Gémeaux est passé maître dans l'art de dire des choses qui sonnent vague et qui ne veulent, au fond, rien dire. Le Gémeaux peut biaiser son propos, inventer et improviser mieux que 1000 agents d'artistes. Cet art de la formule heureuse explique que le Gémeaux passe souvent pour un poseur dépourvu de sincérité. L'accusation, comme vous le dira toute Balance, est injuste. Ne vous moquez pas de l'éloquence du Gémeaux, mais n'y succombez pas non plus.

Méfiez-vous de la dérobade latérale

Vite comme l'éclair, le Gémeaux semble se démener comme une poule sans tête, mais il sait se concentrer sur un objectif. Particulièrement lorsque vous souhaitez parler d'un sujet qui vous tient à cœur. Le Gémeaux peut flairer une conversation sérieuse à des années-lumière. Par exemple, vous aimeriez sans doute toucher un mot à votre amie Gémeaux des 100 $ qu'elle vous doit. Elle ne demande pas mieux que d'en parler avec vous et s'assoit.

Vous : Je ne veux pas te harceler, mais te souviens-tu que je t'ai prêté de l'argent pour remplacer ce pneu sur ta voiture ?

Gémeaux (*sourire radieux à la clé*) : Bien sûr ! J'étais tellement contente ! Tu sais combien j'ai horreur de rester coincée trop longtemps au même endroit. D'ailleurs, te rappelles-tu mon voyage à Prague, quand j'y suis restée prise pendant trois jours ?

Puis votre amie vous lance dans une conversation échevelée sur les taux de change, la stabilité politique de l'Europe de l'Est et du plaisir qu'elle aurait à visiter l'Amérique du Sud.

Gémeaux (*après un coup d'œil à sa montre, 10 minutes plus tard*) : T'as vu l'heure ? Wow. J'aime tellement parler avec toi ; on devrait faire ça plus souvent.

Elle se faufile vers la porte avant que vous ayez pu la rattraper.

Morale : Un Gémeaux peut changer de sujet aussi vite que d'identité.

Méfiez-vous des promesses du Gémeaux

Vous : Arrêterais-tu prendre mon pantalon chez le nettoyeur en rentrant ?

Gémeaux : Avec plaisir.

Vous êtes d'un naturel patient, mais n'attendez pas trop long-temps. D'ici à ce qu'il récupère votre pantalon, ce dernier aura passé de mode.

Il ne sert à rien d'être irrité. Le Gémeaux comptait vraiment vous rendre ce service, mais quelque chose l'a distrait en cours de route.

Morale : « Promettre tout puis oublier », telle est la devise du Gémeaux.

Méfiez-vous des euphémismes du Gémeaux

Si vous aspirez à une communication directe, discutez avec un Bélier. Le Gémeaux est un athlète linguistique et préfère les voies indirectes. Une personne avertie en vaut deux.

La conversation indirecte *vs* le franc-parler

Quand il dit : « *Le style vintage te va à ravir.* »

Comprenez qu'il ne peut passer sous silence le fait que votre veston est passé de mode depuis deux ans.

Quand elle dit : « *Bien sûr que j'écoute ; tu sais tout le respect que j'ai pour ton opinion.* »

Comprenez que le Gémeaux a développé une ouïe sélective ; elle n'accorde aucune crédibilité à votre opinion.

Quand il dit : « *Fred est un homme aux multiples talents.* »

Comprenez : « Fred a fait tout et n'importe quoi, du service aux tables au débouchage de tuyaux en passant par la vente d'obligations de pacotille, sans compter qu'il entretient trois relations amoureuses en même temps. »

Quand elle dit : « *Ton intelligence n'a d'égale que ta beauté.* »

Comprenez n'importe quoi.

Donnez à l'ordinaire un vernis excitant. L'ennui, pour le Gémeaux, est la conséquence de la contrainte. Et la contrainte lui rappelle le pénitencier et d'autres lieux déprimants qui nuisent à la réception du signal de son cellulaire. La prochaine fois que vous enverrez un Gémeaux sur un vol de 10 heures, essayez la formule suivante : « Penses-y ! Tout ce temps à ta disposition pour lire et regarder des films ! »

Avancez les horloges du Gémeaux. Une technique stupide, on vous l'accorde, mais la seule qui permet de rendre le Gémeaux ponctuel.

Faites dévier les plans du Gémeaux. Le Gémeaux adore dresser des plans, ce qui lui permet d'en changer à tout bout de champ. Imaginons une virée de magasinage avec un Gémeaux. Ce dernier prévoit fureter dans les magasins d'électronique, mais vous visez plutôt les boutiques de vêtements. Déclarez que vous mourrez d'envie de voir les derniers modèles de téléviseurs à haute définition. Puis, en passant devant une boutique, exclamez-vous : « Non, mais regarde-moi ce drôle de mannequin ! T'as vu les articulations ? » Entrez dans la boutique. Le Gémeaux vous y suivra aussi sûrement que le jour succède à la nuit.

Le Gémeaux et l'amour : la star du subterfuge

Craignez-vous l'inconstance ? Si vous êtes en couple avec un Gémeaux, faites-vous une raison. Le Gémeaux est parfois inconstant au point de verser dans la promiscuité. Dans l'esprit du Gémeaux, une relation d'intimité implique des rapports très approfondis avec deux ou trois personnes pleines d'esprit.

Je n'en dirai pas plus au nom de l'impartialité astrologique, mais vous voilà au moins fixé.

Morale : L'un des Gémeaux vous sera toujours fidèle.

Le Gémeaux, plus que tout autre signe, est attiré par des gens qui lui ressemblent. C'est qu'en tant que signe double, il a l'habitude de voir son reflet, même lorsqu'il est seul, même sans miroir.

Comment séduire le Gémeaux

Flirtez. Le Gémeaux aime le flirt encore plus que le Scorpion aime le sexe. La femme Gémeaux flirtera avec vous, votre grand-père et le policier qui vient de lui remettre une contravention pour excès de vitesse. Si vous ne flirtez pas en retour, elle croira que vous n'êtes pas intéressé.

Soyez imprévisible. La seule chose que le Gémeaux déteste plus que l'ennui est la routine. Essayez de modifier vos plans à la dernière minute. Allez dans un nouveau restaurant. Voyez un film dans une langue étrangère (idéalement dans un pays étranger). Changez votre coloration capillaire. Changez d'adresse. Enfin, vous voyez le portrait.

Soyez de joyeuse humeur. Vous êtes abonné à la misère ? Ne la laissez pas empoisonner votre relation amoureuse avec le Gémeaux. Réservez votre spleen pour le Capricorne, qui ne s'en apercevra même pas. Pour entretenir la flamme du Gémeaux, amusez-vous. L'avez-vous ennuyé au point de le faire bâiller ? Il disparaîtra avant d'avoir bâillé une seconde fois.

Endossez une image de Gémeaux. Puisque le Gémeaux est un as des transformations rapides, il ne faut pas s'étonner que la multiplicité marque aussi sa vie amoureuse. Oui, le Gémeaux peut entretenir plusieurs amours concurrentes, mais on peut facilement contrer ce penchant pour la variété en explorant les jeux de rôle sexuels : si le Gémeaux aime avoir plusieurs amants, rien ne vous empêche de les incarner tous.

Jouez à la meneuse de claque en fleur. Ou au strip-teaseur à domicile. Le Gémeaux sera ravi.

Morale : Endossez diverses personnalités quand vous couchez avec un Gémeaux. Si vous essayez différentes personnalités, vous réduisez le risque qu'il aille voir ailleurs.

Soyez aventureux sur le plan sexuel, mentalement. Vous n'avez rien à craindre de l'esprit d'aventure sexuel du Gémeaux. Il ne s'attend pas forcément à vous voir faire des expériences extra-conjugales. En revanche, il aime que ses partenaires dépassent les limites… de leur imagination. Êtes-vous du genre à garder vos fantasmes sexuels pour vous, voir à en être embarrassé ? Le Gémeaux est l'amant qu'il vous faut : il aimera connaître vos fantasmes *et* en parler avec vous.

Le Gémeaux aime bien l'*idée* d'avoir des pratiques sexuelles qui sortent de l'ordinaire, sans forcément les réaliser. Si vous avez déjà imaginé installer un trapèze dans la chambre à coucher, porter des sous-vêtements de cuir ou écumer les rayons de littérature érotique de votre librairie locale, parlez-en à un Gémeaux. Et rassurez-vous, il ne vous demandera pas de passer à l'acte.

Comment rebuter l'amant Gémeaux

Certains interdits accompagnent la relation amoureuse avec un Gémeaux.

✻ Ne vous plaignez pas de l'imposant édifice de livres empilés sur sa table de chevet.

✻ Ne cachez pas ses clés de voiture.

✻ Ne remplacez pas la jaquette de son dictionnaire de synonymes par celle d'un guide de planification financière responsable.

✻ Ne débranchez pas son modem.

✻ Ne mentionnez pas le mot « mariage » (le Gémeaux n'endosse la notion de mariage que si ce dernier est suivi du mot « libre »).

Comment entretenir la flamme du Gémeaux

La seule façon de maintenir l'intérêt du Gémeaux est d'être intéressant à ses yeux.

Ayez plusieurs facettes. Adoptez le plus grand nombre de facettes qu'il est possible d'afficher sans vous exposer à un diagnostic de schizophrénie. Le Gémeaux aime la variété. Exprimez tous vos champs d'intérêt, idéalement en même temps. Citez Tolstoï pendant un saut en parachute. Parlez de physique quantique en préparant un repas de gourmet. Ne craignez pas d'avoir l'air inconstant. Gardez votre constance pour un Taureau.

Soyez polygame. Pourquoi pas ? Le Gémeaux l'est bien, lui.

Le patron Gémeaux

Votre patron s'impatiente-t-il pour de malheureux détails ? Craint-il toujours que la direction réduise son allocation de dépenses sous la barre des six chiffres ? Est-il presque toujours absent du bureau ?

Lui est-il déjà arrivé de signaler vos erreurs de grammaire avec une telle verdeur que vous avez revécu votre traumatisme du participe passé conjugué avec l'auxiliaire « avoir » ? Interdit-il des dépenses extravagantes comme du papier hygiénique deux épaisseurs ? A-t-il réduit le nombre de jours de vacances alloués du tiers ?

Félicitations. Vous avez deux patrons pour le prix d'un : un Gémeaux. Parions qu'au moment de votre entretien d'embauche, il n'a jamais utilisé le mot « emploi » et a préféré parler d'« occasion professionnelle ».

Préparez-vous à une vie professionnelle marquée par la confusion. Bien sûr, votre patron Gémeaux veut tout maintenant, mais d'un autre côté, ce qui était important hier ne le sera plus demain. Les priorités énoncées la semaine dernière ont changé aujourd'hui et changeront à nouveau demain. Et devinez à qui revient la responsabilité de garder le rythme de ce monde changeant ? Ouiiii ! À vous.

Il ne peut faire autrement que de voir au moins deux côtés à toute chose parce qu'il a (au moins) deux visions du monde. La plupart du temps, il ne voit rien du tout parce que l'une de ses têtes bloque la vue de l'autre. Or, quelle que soit la direction qu'il ait prise aujourd'hui, il n'aime pas les choses qui traînent. Il faut que ça bouge !

Morale : Faites tout rapidement si vous aspirez à rester en poste.

Parlez vite

Lorsque vous parlez à un Gémeaux, préférez les phrases courtes. Si vous lui envoyez un courriel, commencez chaque phrase sur une nouvelle ligne. Vous pouvez même commencer un nouveau paragraphe au beau milieu d'une phrase. Ça ne l'ennuiera pas. Au contraire.

Posez des questions courtes

Si vous devez parler à votre patron Gémeaux, commencez en disant : « Une question rapide pour toi. »

Pensez « court terme »

En matière de planification, le patron Gémeaux est l'opposé des patrons nés sous le signe du Taureau ou du Capricorne. Ces derniers adorent planifier longtemps d'avance et ne demandent pas mieux que des employés qui les aident à définir des stratégies à long terme.

Dans le bureau du Gémeaux, par contre, vos efforts pour tenir le patron au courant de tout ce qui s'inscrit dans un avenir plus lointain que mardi prochain seront ignorés, encore moins récompensés. Par exemple, ne vous donnez pas la peine de lui dire que vous serez à l'extérieur de la ville dans deux semaines. Il l'oubliera.

Morale : Il ne sert à rien de parler de conséquences à long terme. La personne Gémeaux est bien trop prise dans son tourbillon du présent pour se projeter dans l'avenir.

Multipliez les rappels

Comme vous pouvez l'imaginer, un esprit aussi effervescent que celui du Gémeaux n'a que faire de détails insignifiants comme la vérification annuelle du service de l'entreprise ou la réunion avec le directeur général. Ne vous contentez pas de lui rappeler ces engagements. Inscrivez-les dans son agenda et collez des feuillets adhésifs sur tous ses outils chéris de communication : téléphone intelligent, tablette, portable, afin qu'il ne puisse pas les ignorer.

Lisez entre les lignes

Lorsqu'il souhaite vous confier une tâche, le Gémeaux, cet as de l'euphémisme, ne vous le demandera jamais directement. Vous devez lire ses instructions entre les lignes. S'il veut vous confier une tâche, il le fera de la façon suivante.

Patron : Enverrais-tu ces maquettes par FedEx quand tu auras une chance ?

Votre patron sous-entend ici que vous pouvez le faire n'importe quand, pourvu que ce soit maintenant. Et s'il est heureux d'utiliser le service de livraison le lendemain plutôt qu'un courriel instantané, comprenez que son thème astral est dominé par le Capricorne. Confirmez cette information avant de vous présenter au bureau avec un décolleté inconvenant.

Patron : Ce serait super si tu pouvais me conduire à l'aéroport demain.

Cela signifie qu'il souhaite que vous le conduisiez à l'aéroport le lendemain, mais aussi que vous vérifiiez au préalable les renseignements du vol, comme le terminal et la porte d'embarquement.

Patron : Voici mes idées pour l'ajout d'un terrain de basketball à notre salle d'attente. J'ai indiqué les détails, tu n'as qu'à en faire un résumé.

En disant cela, il vous remet des pages et des pages de croquis, de gribouillis et de notes illisibles ponctuées de points d'exclamation. Soyons clair, la seule façon de composer avec ce genre de comportement est de devenir une Vierge.

Les Gémeaux sont les spécialistes des transformations rapides, et ils disposent d'abondantes réserves de charme. Ils savent d'ailleurs mettre ce dernier à profit pour se tirer d'embarras. Le Gémeaux parle et bouge vite. Cette tendance à ne jamais rester en place peut poser problème lorsque vous souhaitez le prendre pour cible. Gardez vos munitions et montrez-vous plus malin en utilisant ses propres stratégies verbales. Rafraîchissez vos habiletés de persuasion et, moyennant un peu d'entraînement, vous pourrez manipuler les jumeaux, un à la fois.

CHAPITRE 6

Cancer : la capitulation de l'agressivité

**Soleil en Cancer : du 22 juin au 23 juillet
Planète en domicile : la Lune**

Vous avez faim ? Vous vous êtes garé au bon endroit. Retirez vos chaussures et passez au salon. Prenez un fauteuil pendant que je mets la table et que je prépare un thé et une ambiance propice à la complicité. Je partagerai tout, sauf mes secrets et vous, bien sûr. Vous serez si bien chez moi que vous ne remarquerez pas que j'ai pris les clés de votre voiture.

L a pièce qui vous accueille embaume le pain frais sorti du four, et un feu crépite joyeusement dans l'âtre. La scène vous donne envie de savourer votre cocktail préféré, un rhum chaud au beurre. Comme par magie, le Cancer vous accueille avec un sourire et la boisson chaude tant désirée.

Avez-vous atterri dans un lieu enchanté où la simple évocation d'un désir suffit à le voir exaucé ? Ce paradis ressemble au foyer idéal : celui de vos rêves. Vous avez raison. C'est un rêve. Et un piège.

Bienvenue dans l'antre du Cancer. Vous pouvez régler la note quand bon vous semble, mais le Cancer, lui, ne vous laissera jamais partir.

Où trouver un Cancer

Sympathique mais secret, le crabe ne se laisse pas apprivoiser facilement. Non content de se défiler en douce pour vous éviter, le Cancer est également cachottier de tout ce qu'il considère comme relevant de la sphère personnelle. Et selon le Cancer, tout est personnel. Le Cancer est discret, mais vous le trouverez néanmoins :

* occupé à préparer un bon repas ;
* offrant son épaule à une âme éplorée ;
* cherchant une épaule pour y épancher sa peine ;
* tournant autour du pot ;
* en train d'éviter un sujet.

La vie avec un crabe peut être déstabilisante. Le Cancer est généralement une personne gentille et attentionnée. Puis elle vous surprend en vous décochant quelques phrases assassines.

Par exemple, le Cancer sait que vous n'aimez pas qu'on vous parle des cinq kilos supplémentaires que vous portez depuis quelques mois. Délicat comme il sait l'être, il vous dira : « Je t'ai commandé de nouveaux pantalons, chéri. Je les ai pris une taille plus grande. »

Morale : Habituez-vous aux commentaires sournois du Cancer.

Comment obtenir ce que vous voulez d'un Cancer

Le Cancer est le gardien du zodiaque. Il est toujours là quand on a besoin de lui. Si généreux. Si attentionné. Si exaspérant.

Le Cancer a besoin de donner. Il présente aussi de grands besoins affectifs et un désir aigu de les voir comblés. Comment savoir de quoi le Crabe a besoin ? En observant ce qu'il fait pour nous et en faisant la même chose. Perturbez-le en prenant soin de lui. Une oreille et des soins attentifs : c'est la technique du Cancer pour vous rendre éternellement redevable. Faites de même et neutralisez-le en veillant sur lui.

Faites preuve de sensibilité avec le Cancer

Pour un Cancer, toute relation – amicale, amoureuse, professionnelle – comporte une importante dimension émotive. La personne Cancer sera plus sensible à votre égard si vous faites vous aussi preuve de sensibilité. Envoyez-lui une carte d'anniversaire. Rapportez ses livres à la bibliothèque avant l'échéance.

Morale : Soyez prévenant avec le Cancer.

Entourez le Cancer de vos attentions

Vous souvenez-vous de ce jour où le Cancer vous a proposé un lunch-consolation, le jour de l'anniversaire de votre divorce ? A-t-il été victime d'un accident de voiture récemment ? Facilitez sa convalescence en lui faisant parvenir une sélection des meilleurs romans de la saison, accompagnée d'un gâteau aux cerises.

Morale : Quand le Cancer traverse une épreuve, entourez-le d'affection.

Sables mouvants devant : comment ménager un Cancer

Entièrement autonome, le Cancer est compatible avec tout le monde, mais particulièrement avec vous. N'allez pas croire, cependant, que cette affection que vous porte le Cancer vous dédouane de tout. Retenez les choses à ne pas faire, énumérées ci-dessous, pour simplifier vos contacts avec le crabe.

Ne blessez pas un Cancer

Aussi bien dire qu'il faut éviter d'avoir froid par − 30 °C. Quand un Cancer vous accorde son attention, il sonde votre esprit à l'aide d'un sonar. Cela signifie qu'il sait comment vous fonctionnez. Il sait aussi comme vous embêter. Et il le fera pour vous punir chaque fois que vous froisserez son amour-propre.

Vous savez que votre amie Cancer est froissée lorsque ses remarques vous font regretter d'avoir laissé votre gilet pare-balles à la maison. Ses commentaires sournois sur vos pantalons qui trahissent votre récent gain de poids vous irritent. Qu'avez-vous donc fait? Vous cherchez en vain : vous n'avez pas oublié son anniversaire. Vous vous êtes souvenu d'arroser son palmier, un cadeau de sa marraine.

Et ce matin? Rappelez-vous ce que vous lui avez dit en partant conduire les enfants à l'école : «Tu es vraiment sexy dans cet ensemble!» La plupart des gens y verraient un compliment. La personne Cancer, elle, y voit un sous-entendu qu'elle n'est pas sexy lorsqu'elle porte d'autres vêtements, ou pire, lorsqu'elle est nue.

Morale : Prenez garde à ce que vous dites et à la façon dont vous le dites. Vous vous éviterez des ennuis, voire une triste fin.

Ne soyez pas non disponible

Vous partez en voyage, et le Cancer a les nerfs en boule à l'idée d'être séparé de vous. Soyez accessible, même à distance. Laissez-lui un numéro de téléphone pour vous joindre; placez une photocopie de votre itinéraire sur la porte du réfrigérateur. En cours de route, achetez un souvenir pour votre Cancer chéri. Cette délicate attention pavera la voie à votre prochain voyage. Vous montrez aussi que vous avez pensé à lui pendant que vous étiez au loin.

Morale : Si vous devez vous éloigner du Cancer, gardez le contact.

Ne soyez pas direct

Les Cancers sont si généreux que vous rougissez à l'idée de demander quoi que ce soit de plus, comme une réponse directe. En fait, ne le demandez pas puisque c'est une chose que le Cancer est incapable de donner.

La manipulation du Cancer peut vous entraîner vers des sables mouvants psychologiques. Vous vous êtes laissé aveugler par les traits insidieux du Cancer, sa sensibilité, sa compréhension et sa bienveillance. Son sixième sens en fait un manipulateur naturel, car il sait trouver vos points sensibles. Et lorsqu'il vous aura touché, il voudra vous posséder.

Comme tous les signes astrologiques qui ont la chance d'être des manipulateurs nés, le Cancer est passé maître dans l'art de recourir à des tactiques indirectes tout en protégeant ses arrières. Songez donc à protéger les vôtres pendant que vous le manipulez. Ouvrez l'œil. Prenez conscience de son langage corporel, car celui-ci jure toujours avec le propos du Cancer. Soyez vigilant ! Observez ce qu'il fait ; ignorez ce qu'il dit. Confondez-le à l'aide de paroles apaisantes, puis attaquez de front. C'est la dernière chose à laquelle il s'attend.

Composer avec un Cancer, le communicateur indirect

Votre Cancer connaît-il ses besoins et les exprime-t-il ? Aborde-t-il de front les questions affectives ? Si vous répondez « oui » à l'une de ces questions, la personne à laquelle vous pensez se fait passer pour un Cancer.

On ne peut manipuler quelqu'un dont on ignore les désirs. Si vous ne possédez pas un solide entraînement en communication indirecte, vous n'êtes pas au bout de vos peines avec le Cancer.

Le Cancer est compréhensif. Il perçoit instinctivement ce dont vous avez besoin et vous témoigne son affectueuse sollicitude. Cependant, il entretient le mystère à son sujet tout autant que sur ses désirs. Il ne vous aidera pas à le comprendre, et il n'arrive pas lui-même à déterminer ce qu'il a à dire, encore moins à le dire.

Malheureusement, le Cancer s'attend à ce que vous lisiez ses pensées et à ce que vous alliez au-devant de ses besoins pour mieux les combler, et ce, sans qu'une conversation soit nécessaire. Ces attentes peuvent être source de frustration et donner lieu à de disgracieux incidents conjugaux.

On peut vouloir combler les besoins du Cancer pour deux raisons. D'abord, c'est la meilleure façon de la persuader de combler les *vôtres*. Ensuite, vous devez prendre en considération les désirs du Cancer, sans quoi ce dernier prendra un billet au pays de la déprime et vous y traînera dans ses bagages. Il n'est pas nécessaire de devenir télépathe, psychiatre ou psychiatrisé soi-même pour trouver la solution à cette énigme. Il existe deux stratégies pour composer avec les besoins de votre Crabe : apprendre à décoder ses signaux non verbaux, puis les esquiver jusqu'à ce que vous trouviez le temps d'y réagir correctement.

Comment percevoir les besoins du Cancer

La communication verbale ne fait pas partie des habiletés du Cancer. Astrologiquement parlant, ce dernier est incapable de parler et de demander ce qu'il veut dans une même action fluide. Il vous revient donc de décoder ce qu'il tente d'exprimer. Les prochains paragraphes vous aideront à faire cet apprentissage.

Observez les faits et gestes du Cancer. Votre Cancer chéri est en train d'astiquer le parquet de bois franc. Rien d'anormal, sauf qu'il ne cesse d'astiquer la même zone. La chose est d'autant plus intrigante que cette zone est maintenant impeccable et que d'autres coins plus poussiéreux du parquet mériteraient l'attention du Cancer.

Pourquoi cette portion du parquet l'obsède-t-elle autant ? Vous vous en approchez. Le fait que le Cancer accorde autant d'attention à une zone du plancher près de laquelle vous vous trouvez signifie qu'il veut attirer votre attention. Vous levez les yeux vers lui. Aussitôt, il jette un œil sur le cahier Arts et spectacles du journal, puis sur vous. Le Cancer vient de vous lancer un indice. Attrapez-le.

Vous (*en consultant le journal*) : Dis donc, et si on allait voir la version *remastérisée* de Casablanca au cinéma ?

Cancer : Quelle bonne idée !

Morale : Captez les indices que lance le Cancer en observant ses moindres faits et gestes.

Comment remettre à plus tard la gestion des besoins du Cancer

Le jeu des charades ne vous ennuie généralement pas, mais c'est un exercice qui demande du temps dont vous ne disposez pas. Montrez au Cancer que vous êtes conscient de ses besoins, sans pour autant y répondre. Le Cancer sera rassuré de savoir que vous y veillerez plus tard.

Devancez ses exigences du moment en le remerciant d'une faveur qu'il vous a accordée par le passé. Vous avez entendu dire que le Cancer traverse des difficultés conjugales et qu'il souhaite en parler avec vous. Vous manquez de temps pour sympathiser avec lui. Vous avez cependant le temps de lui dire à quel point vous l'appréciez.

Imaginons, par exemple, que le Cancer vous a ramené à la maison lorsque votre voiture vous a laissé tomber au terme d'une grosse journée.

Vous : C'était vraiment gentil à toi de me ramener, la semaine passée, quand mon radiateur m'a lâché.

Cancer (*souriant*) **:** Je suis content d'avoir été là pour te reconduire chez toi.

Morale : Exprimez votre reconnaissance au Cancer. La gratitude est une devise formidable qui vous rapportera des dividendes.

Utilisez des formules compatissantes sans vous impliquer davantage. Le Cancer peut se désoler de la pénurie de papier hygiénique coussiné. Réagissez au moyen de formules compatissantes qui n'engagent à rien : « Tellement fatiguant », « Je te comprends » ou l'indémodable « C'est plate hein ? »

Morale : Compatissez avec le Cancer, mais ne réglez pas ses préoccupations.

Ignorez le Cancer. Il s'en remettra. Nul ne sait quand, mais il s'en remettra.

Le Cancer et l'amour

Les Cancers ne sont pas avares de câlins pour leur tendre moitié. Ils lui souhaitent bonne nuit d'un baiser et d'un autre au petit matin. Ils lui disent : « Je t'aime » régulièrement. L'hiver, ils s'aventurent jusqu'au milieu du terrain pour récupérer le journal afin que leur chéri n'ait pas à le faire. L'été, ils lui offrent, cachée dans une boîte de balles, une carte d'abonnement au club de tennis du quartier. Et comme si ça ne suffisait pas, ils cuisinent à merveille.

Ce soir, votre Cancer vous offre la totale : un repas exquis dans une ambiance divine. Des mets somptueux apprêtés exactement comme vous les aimez : asperges vapeur *al dente*, poulet grillé juste ce qu'il faut pour en préserver la tendreté, sauvignon blanc dans un seau d'argent. C'est une soirée merveilleuse et vous poussez un soupir de satisfaction.

Puis vous entendez un autre soupir, celui du Cancer. Et c'est tout ce que vous entendrez ce soir-là. Votre chérie boude, et pas moyen de savoir pourquoi. Est-ce bien un serpent qui s'est glissé dans le jardin d'Eden, ou un crabe ? L'ennui, avec les Cancers, c'est qu'ils font tout de façon détournée.

Les Cancers veillent sur leurs amours. C'est un autre problème. Le vôtre prend un tel soin de votre personne que vous rougissez à l'idée de demander plus. Du temps pour vous, par exemple. Ou une soirée seul au cinéma. Allez, parlez-lui-en, mais vous le ferez au prix d'un énorme sentiment de culpabilité. Autant vous y faire : c'est une spécialité du Cancer.

La vie de couple avec un Cancer comporte de tels avantages qu'il est normal de s'attendre à quelques passages difficiles. Voici quelques-uns des problèmes auxquels vous devez vous attendre, et des conseils sur la meilleure façon d'y faire face.

Appréciez le Cancer

Le lendemain de votre souper romantique, le Cancer vous bat toujours froid. À quel moment votre chérie a-t-elle cessé de parler et commencé à soupirer ? Qu'est-ce qui ne va pas ? Ce pourrait être plusieurs choses. Soyez aussi observateur que le Cancer. Faites le tour de la maison et puisez dans vos souvenirs. Ça y est ? Vous avez relevé quelques sources d'irritation possibles ?

✳ Vous n'avez pas refermé la bouteille de shampoing.

✳ Vous n'avez pas purgé la machine à café après avoir fait mousser votre lait.

✳ Vous avez préféré le balai à la vadrouille pour balayer le plancher de la cuisine.

✳ Hier, vous avez demandé au Cancer de faire sa lessive.

✳ Hier soir, vous lui avez dit qu'elle n'avait pas besoin de faire à manger et que des mets chinois feraient parfaitement votre affaire.

✳ Vous… arrêtez. Votre Cancer chéri a commencé à soupirer à la fin du repas. Votre Cancer croit que vous n'aimez pas sa cuisine et que vous n'appréciez pas ce qu'elle fait pour vous.

Morale : Dites au Cancer que vous appréciez sa prévenance.

Profitez de la possessivité du Cancer

Vous venez de rentrer et le Cancer est heureux de vous retrouver.

Cancer : Que dirais-tu qu'on parte à la campagne avec des amis et qu'on se fasse un pique-nique à la belle étoile ?

Vous êtes fatigué. La journée a été longue et vous n'avez pu échapper aux bouchons de l'heure de pointe. Et puis vous avez mal aux pieds. Vous ne rêvez que de votre lit avec un livre.

Vous (*après avoir décrit votre journée de fou*) **:** Je vais me coucher tôt. Mais vas-y toi !

Vous vous attendez à entendre la voiture de votre chérie tourner le coin aussitôt que vous aurez ouvert votre polar. Vous l'entendez plutôt monter l'escalier sur la pointe des pieds. Lorsqu'elle se coule près de vous et de votre roman, vous vous rappelez que :

Morale : Le Cancer est possessif. Il surveille de près son compte bancaire, son territoire – qu'il a ceint d'une palissade – et les murs de son bureau de coin, et vous. Surtout vous. N'espérez pas trouver du temps pour vous.

Habituez-vous au sentiment de culpabilité

Devant la mine renfermée du Cancer, vous allez aux renseignements. Le Cancer ne répond pas. Alors vous tentez de deviner. Vous commencez à surveiller les signaux qu'envoie votre chéri et sentez qu'une séance de culpabilisation se pointe à l'horizon. Vous savez que vous avez péché, mais la pénitence n'est pas votre fort ; de toute façon, votre cilice est chez le nettoyeur, avec les pantalons de soirée préférés du Cancer. La mise en situation suivante vous aidera à reconnaître la tactique du Cancer et la meilleure façon d'y réagir.

Vous : Es-tu fâché parce que j'ai oublié de remettre le cellulaire sur la charge ?

Le Cancer ne pipe mot, et vous faites un nouvel essai.

Vous (*fouillant dans votre conscience tout en survolant la pièce des yeux*) **:** Est-ce que c'est parce que j'ai oublié de changer l'eau du bouquet de fleurs sauvages que tu m'as offert ? Ou parce que ma voiture m'a lâchée et que je n'ai pu assister au pique-nique du bureau ?

Cancer : Ce n'est rien.

Il y a quelque chose et vous le savez, et vous faites le tour de la maison. Tout est comme d'habitude, sauf cette enveloppe appuyée contre le vase de fleurs. Vous ouvrez l'enveloppe et en retirez la carte… qui est vierge. Vous savez maintenant pourquoi le Cancer boude.

Vous (*le front rouge de culpabilité en murmurant à l'oreille du Cancer*) **:** Je suis désolée d'avoir oublié d'écrire un mot de remerciement pour les fleurs.

Cancer (*poussant un soupir de soulagement*) **:** Ce n'est rien, je comprends.

Morale : Ne tenez pas le Cancer pour acquis. Ou si vous le faites, remerciez-le plus tard pour tout ce qu'il a fait pour vous au cours de la journée.

Oui, le Cancer amoureux est parfois exaspérant. Il peut être impossible à décoder et, parfois, redoutablement possessif. C'est que le Cancer juge que vous en valez la peine. Soyez-en flatté.

Lorsque vous êtes de mauvaise humeur, regardez autour de vous et voyez toutes les démonstrations d'affection du Cancer : les fleurs sauvages, sa présence contre vous alors que vous lisez votre polar. Puis repensez au fumet du rhum chaud au beurre de l'hiver dernier.

Votre Cancer organise sa partie annuelle de croquet au printemps. Au programme : musique d'ambiance, mimosas au jus d'orange fraîchement pressé, brise agréable des premières belles soirées de mai. Relisez donc les règles du jeu et rappelez-vous qu'au croquet, la victoire n'est possible qu'après avoir franchi tous les arceaux dans l'ordre imposé. C'est un peu ça, vivre avec un Cancer. Le vôtre n'aime pas le croquet par hasard.

Le patron Cancer

Vous avez le bonheur de travailler sous les ordres d'un Cancer. Le Cancer est tout aussi bienveillant avec ses employés qu'avec ses amis ou l'amour de sa vie. Il est l'instigateur de votre environnement professionnel. Votre bureau comportera des touches décoratives accueillantes : un canapé si l'espace le permet ou, à tout le moins, des fauteuils rembourrés. L'environnement physique et affectif est important aux yeux du patron Cancer, qui souhaite que les affaires tournent sans anicroche. L'atmosphère du bureau doit être détendue ; le personnel doit être heureux, bien installé et se sentir apprécié afin de bien faire son travail.

Gravez cette dernière notion dans votre agenda : *afin de bien faire votre travail*. Le Cancer n'est pas dans les affaires dans le seul but de veiller sur ses employés. Le Cancer est généreux à la maison, mais ne donne rien pour rien au travail. À ses yeux, le travail sert à s'enrichir. Tâchez de vous en souvenir.

Morale : N'oubliez pas de faire votre travail. Si vous prenez trop vos aises dans votre confortable bureau, au point de manquer à votre devoir, vous risquez de prendre la porte, aussi joliment décorée soit-elle.

Le patron Cancer prend soin de ses employés parce qu'il est attentionné, mais aussi parce qu'il s'attend à ce que ces bons soins produisent des résultats. Qu'ils soient inscrits dans un grand livre relié de cuir ou consignés dans un tableur électronique, les états financiers du Cancer sont surtout gravés dans sa mémoire, si bien qu'il connaît avec précision l'état de ses actifs.

Morale : Vous avez le choix : faire partie des actifs du Cancer ou chercher un autre emploi.

Voici quelques suggestions pour rappeler à votre patron votre véritable valeur.

Faites-lui réaliser des économies. Vous avez trouvé une façon de dépenser moins ? Montrez au Cancer que vous savez négocier une entente économiquement avantageuse à long terme, en l'appuyant sur des données tangibles.

Vous (*en montrant les chiffres des états financiers*) : Si nous commandons les réserves en gros, nous obtiendrons un rabais. Nous gagnerons aussi du temps, ce qui permet d'économiser sur les coûts de main-d'œuvre.

Cancer : Bonne idée. Allons-y.

Signalez les problèmes directement à votre patron Cancer. Contrairement à ce qu'il fait en amitié ou en amour, le patron Cancer s'attaque aux problèmes professionnels de front. Mais comme tous les Crabes de son espèce, il est sensible. Évitez donc de l'inquiéter avec des problèmes que vous estimez pouvoir régler seul.

Par exemple, un compte important, payable en 30 jours, n'a toujours pas été réglé après 28 jours. Vous décidez de laisser votre patron en dehors de ça à moins que le compte soit en souffrance. Mauvaise décision. Le Cancer vous en parlera de façon subtile.

Vous (*rouge de honte alors que le Cancer vous brandit la facture sous le nez*) **:** Elle n'est pas encore en souffrance. Je peux appeler le client demain et la facture sera payée à temps.

Cancer (*un léger reproche dans la voix*) **:** Si tu avais relancé le client il y a deux semaines, le chèque serait déjà déposé.

Morale : Ne procrastinez pas. Posez les questions qui s'imposent directement et immédiatement, particulièrement si elles ont trait à l'argent.

Gérez vous-mêmes les clients mécontents. Le Cancer aime quand les choses vont bien. Les crises de gestion ne sont pas son style, et sa compétence n'a rien à y voir. Seulement, le Cancer n'aime pas les débordements émotifs. Gérez-les vous-mêmes ou évitez de laisser un client devenir insatisfait.

Invitez votre patron à souper à la maison. Votre patron Cancer est aussi sensible à la vie de famille que le sont vos amis ou votre conjoint du même signe. À leurs yeux, le foyer est sacré. En invitant votre patron chez vous, vous lui faites sentir que vous l'acceptez dans votre cercle. Votre invitation le touchera.

Vous : Que dirais-tu de venir souper à la maison samedi ? C'est sans façon, un petit souper relax. Quand les enfants seront couchés, on pourra regarder un film.

Cancer : J'accepte avec plaisir. Puis-je apporter le vin ?

Le Cancer habile vous attire dans son orbite en exprimant le plaisir que vous lui procurez. Accrochez-vous à cette idée, car le Cancer sensible n'aborde jamais les difficultés – ou vous – de front. Avez-vous déjà fait la file à côté d'un fumeur en vous inquiétant des effets du tabagisme passif? Essayez de côtoyer un Cancer sans ressentir les effets de son comportement passif-agressif. Avec un crabe, retenez une règle d'or : « Manipuler avec soin », sans quoi le Cancer pourrait bien dégainer ses pinces.

Lion : la diva dictatrice

Soleil en Lion : du 24 juillet au 23 août
Planète en domicile : le Soleil

Appel de candidatures : Auditions libres pour ma vie en trois
actes. Inutile de convoiter le haut de l'affiche. Rôles secondaires
seulement. Présentez-vous à l'entrée des artistes.

Imaginez que vous êtes à l'opéra : la musique est dramatique,
les costumes, somptueux. Le bâtiment lui-même est grandiose.
Retenez cette image, car elle illustre bien la vie avec un Lion.
Lorsque cette diva dictatrice chante « Moi, moi, moi », elle ne donne
pas dans l'exercice vocal.

Soirée de gala sur ordre du roi

Dans l'opéra que constitue la vie du Lion, souvenez-vous de
traiter ce dernier comme une star. (Vous pourriez aussi le traiter
comme le réalisateur, le producteur, le compositeur, le parolier et
tout autre joueur important de l'Opéra du Lion, mais ça risque
de compliquer les choses.) L'ego du Lion exige qu'il soit la vedette,
alors inscrivez son nom en lettres scintillantes sur votre marquise
personnelle.

Le Lion demande de l'attention

Le signe du Lion n'est pas régi par le Soleil sans raison. Le Lion adore l'idée (qu'il trouve également pratique) que le Soleil occupe le centre du système qui porte son nom. Comment peut-on ignorer le centre de l'univers ? Vous ne le ferez qu'une fois.

Le Lion veut le devant de la scène

Le Lion aime parler. Contentez-vous de rester en coulisses, fermez-la et laissez le Lion parler. Plus tard, il se rappellera ce moment : « J'adore parler avec unetelle. Elle a un tel sens de la conversation. »

Le Lion veut des éloges

Le Lion carbure aux louanges. C'est sa principale motivation pour accomplir toute chose : que quelqu'un le remarque. Et l'applaudisse bruyamment. Pendant que vous y êtes, répétez-vous mentalement : « Oh hisse ! Oh hisse ! » Cela peut être utile pour les raisons suivantes :

1. C'est ce que répétaient les esclaves chaque fois qu'ils tiraient sur la rame à laquelle on les avait enchaînés (sans doute l'œuvre d'un Lion).

2. Rappelez-vous aussi que votre félin a besoin d'être flatté. Ce n'est qu'à ce prix que vous pourrez le dompter.

Par exemple : « Décidément, mon Lion, tu manies cette carte de crédit comme un pro. » Imaginez ses attentes lorsqu'il accomplit vraiment quelque chose. Savez-vous comment faire une génuflexion ?

Le Lion ne connaît pas l'adage selon lequel « le mieux est l'ennemi du bien ». À ses yeux, meilleur est toujours mieux que tout. Pensez-y aussi lorsque vous lui faites un compliment.

Trouvez l'erreur dans le compliment suivant :

Vous : Tu es tellement habile, intelligent et beau.

Ce genre de compliment procurerait des vapeurs à la plupart d'entre nous. Le Lion, lui, ne l'entend pas de cette oreille. Essayez plutôt ceci :

Vous : Tu es décidément indispensable, tellement génial et incroyablement magnifique.

Voilà qui est mieux.

Comment aborder le Lion : le pot-de-vin

Oui, la flatterie rapporte toujours avec le Lion. Mais vous en avez peut-être assez de flatter votre minet dans le sens du poil ? Essayez donc la corruption. Il y a du bon à offrir des cadeaux au Lion. D'abord, il adore ça. Non seulement aimera-t-il que vous lui offriez quelque chose, mais cette délicate attention de votre part lui reviendra à l'esprit chaque fois qu'il posera les yeux sur votre présent.

Vous y gagnerez aussi. Tout présent offert au Lion est un cadeau qui ne cesse de rapporter. À vous, on s'entend. Votre cadeau vous rapportera des dividendes.

Lorsque vous cherchez un présent pour un amoureux, un ami ou un collègue Lion, prenez l'habitude de demander aux vendeurs : « Qu'avez-vous reçu de nouveau dans le genre ostentatoire ? » N'achetez rien dans un magasin d'aubaine. Vos talents de chasseur d'aubaines n'impressionneront pas le Lion. Seuls vos amis Taureaux et Capricornes sont en mesure de trouver un rabais sexy.

Morale : Lorsque vous achetez un cadeau au Lion, rien n'est jamais trop gros ; la perfection réside dans le presque vulgaire. Ne donnez pas un présent n'importe comment. Le Lion est l'un des rares signes dont les représentants accordent autant d'importance à l'emballage qu'au cadeau proprement dit. Voici quelques suggestions :

Au Lion qui aime lire, n'achetez jamais de format poche. Optez pour un livre-objet, idéalement aussi grand que la table sur laquelle le Lion voudra l'exposer.

Au Lion gestionnaire, offrez n'importe quel accessoire de bureau sur lequel vous pourrez faire graver ou embosser son nom. Le nom complet – de grâce! – plutôt que les initiales. À tout prendre, faites ajouter un deuxième prénom de votre cru et voyez si le Lion vous le fait remarquer. Il ne le fera pas. (Son plaisir augmentera avec le nombre de prénoms.)

Au Lion ouvrier, achetez un mécanisme plaqué or présenté dans un chic coffre à outils personnalisé.

Au Lion enseignant, offrez un magnéto. Le Lion adore faire la leçon. Il pourra, grâce à vous, le faire dans son magnéto sans ennuyer son entourage.

En cas de doute, achetez un appareil photo, prenez de nombreuses photos du Lion et envoyez-les-lui. N'oubliez pas de faire imprimer des agrandissements.

Le Lion et l'amour

L'utilisation des mots « Lion » et « amoureux » dans la même phrase est redondante. (Toute Vierge tatillonne, un autre pléonasme, vous le confirmera.) Votre Lion est toujours amoureux, sinon de vous, du moins de l'image que lui renvoie son miroir.

Vous serez toujours bien servi en recourant aux tactiques de manipulations universelles, comme la flatterie et le pot-de-vin. « Servir » est d'ailleurs un concept auquel vous feriez mieux de vous habituer, car vous le ferez souvent autour du Lion. Voici quelques réglages amoureux à retenir.

Comment attirer un Lion

Vous apercevez le Lion au milieu d'une salle bondée (la cour du Lion suffit toujours à remplir une salle). Le Lion est évidemment le centre de l'attention. Il monopolise la conversation ; il a aussi un compte ouvert au bar, ce que personne n'ignore. Après l'avoir aperçu, approchez-vous du Lion. Prosternez-vous.

Morale : Le Lion a toujours soif de respect et de reconnaissance. Essayez l'une des approches suivantes pour amener le Lion à ignorer le reste de sa cour pour se concentrer sur vous.

Vous : N'avez-vous pas tenu un petit rôle dans *L'avare*, avec Leonardo DiCaprio ?

Cette tactique repose sur les éléments suivants :

✳ Vous présumez que le Lion est une célébrité.

✳ Vous évoquez du théâtre.

✳ Vous présumez que le Lion est le genre de personne à appeler DiCaprio par son prénom.

✳ Vous présumez que le Lion a vraiment lu *L'avare* de Molière.

Le Lion vous dira probablement quelque chose comme « En fait, non. » Mais son sourire laissera entendre que tenir un rôle dans *L'avare* est le genre de chose qu'il aurait pu faire.

Le Lion vous demandera alors ce que vous faites dans la vie.

Offrez-lui votre plus beau sourire en disant : « Je travaille dans un grand cabinet d'avocats au centre-ville. » Même si vous êtes associée spécialisée dans les contrats commerciaux, dites-le comme si vous étiez une subalterne. Le Lion ne supporte pas d'être éclipsé.

Le visage du Lion s'éclairera : « Oh ! J'ai déjà partagé un bureau avec un avocat. Connaissez-vous les quatre éléments qui constituent un contrat légal ? Le premier est la capacité, c'est-à-dire... »

Écoutez-le attentivement.

Morale : Lorsque le Lion parle, vous n'avez rien à dire. Rien.

Vous pouvez nourrir la conversation d'un « Vraiment ? » ou d'un « Nooon ! Incroyable ! » accompagnés d'un haussement de sourcils admiratif. Vous lui laissez croire ainsi qu'il en sait plus que vous sur au moins un sujet.

Le Lion ne pourra qu'être impressionné devant votre adoration et verra en vous une candidate amoureuse potentielle, au moins pour une nuit à défaut d'être pour la vie. Chanceuse ! Et maintenant, que ferez-vous ?

Comment séduire un Lion

Maintenant que vous avez capté l'attention du Lion, comment faire pour soutenir son intérêt ? Votre meilleure stratégie consiste à lui faire une cour aussi romantique que possible. Le Lion a un petit côté fleur bleue.

Cultivez la courtoisie. Le Lion est sensible aux mondanités amoureuses. Si vous courtisez une Lionne, ouvrez-lui la porte ; aidez-la à enfiler son manteau. Et, cela va sans dire, cueillez-la chez elle. Seuls les Béliers, les Verseaux et les Sagittaires oseraient proposer de se retrouver au restaurant ou au cinéma.

Choisissez un cadre romantique pour votre rendez-vous. Emmenez le Lion au théâtre, au cinéma, au musée, ou dans tout autre endroit où les gens tiennent un rôle. La comédie sied bien au Lion.

Le Lion aimera aussi que vous l'emmeniez dans un restaurant où l'on aime voir et être vu. Assurez-vous qu'une bouteille de champagne vous attend à la table. Pendant le repas, gardez-vous une main libre pour manifester publiquement votre affection au Lion.

Au moment de régler l'addition, dégainez une carte platine plutôt que des billets. En sortant du restaurant, mettez le cap sur un petit bar romantique et commandez le cocktail le plus cher de la carte, penchez-vous vers votre Lionne et dites : « Parle-moi de toi. »

Elle vous racontera tout.

D'autres façons d'allumer un Lion

Ne laissez pas la flamme s'éteindre dans votre couple. La relation sera plus harmonieuse si vous vous comportez comme vous le feriez avec un amant ou une maîtresse plutôt qu'avec un époux ou un conjoint de longue date. Particulièrement si vous êtes mariés ou avec un conjoint de longue date.

Rappelez-vous qu'un Lion peut se montrer dominant et doit être le centre de l'attention. Retenez aussi les recommandations suivantes :

Ne rivalisez pas avec le Lion. Ce n'est pas que le Lion ne supporte pas la concurrence ; il n'en veut tout simplement pas. Sur le plan professionnel, par exemple, n'hésitez pas à débiter vos titres de compétence et votre profession. Le Lion aime les stars, du moment qu'elles n'exercent pas la même profession que lui. Le cas échéant, minimisez l'importance de vos réalisations.

Ne froissez pas un Lion. Puisqu'il déteste passer inaperçu, le Lion se froisse d'un rien. Par exemple, vous deviez l'appeler avant le dîner. Votre journée a été une enfilade d'urgences et de réunions interminables. Il est maintenant 16 h 30. Le téléphone sonne, et en décrochant le combiné, vous vous rappelez brusquement que vous deviez appeler votre Lionne.

Ne lui laissez pas le temps de rugir et dites quelque chose qui lui fera croire qu'elle est votre priorité : « Je pensais justement à toi» ou encore «J'étais justement en train de composer ton numéro.» Non, vous ne mentez pas. Ne pensiez-vous pas à elle? Inutile d'entrer dans les détails.

Séduisez le Lion avec des cadeaux. Nous avons déjà traité du bien-fondé d'acheter le Lion au moyen de présents, mais il n'est pas inutile de revenir sur la question. Le Lion adore les cadeaux. Ceux-ci vous tireront toujours d'embarras, sans compter les autres avantages qu'ils procurent. Le sexe, par exemple.

Tant de flatteries, de cadeaux et de soirées romantiques ne peuvent vous mener qu'à un endroit: dans le lit du Lion. Ne soyez pas surpris de trouver un miroir au plafond. Veillez simplement à ne pas boucher la vue du Lion.

Comment soutenir l'intérêt du Lion

Maintenant que vous faites partie du chœur de l'opéra qui constitue la vie du Lion, préparez-vous à essuyer quelques revers tactiques. Pour préserver sa bonne humeur, voici ce que vous devriez faire:

Obéissez. Lorsque le Lion donne un ordre, dites «oui, oui, oui». Le Lion aime avoir l'impression qu'on obtempère. Par la suite, faites ce qui vous chante.

Demandez les choses gentiment. Aux yeux du Lion, certaines personnes n'ont pour seule mission de vie que d'accomplir des tâches inférieures. Bien sûr, il n'est pas du lot. Vous souhaitez confier à votre Lion une tâche fastidieuse comme la conciliation des comptes bancaires et, sans réfléchir, vous le lui demandez de but en blanc.

Vous: Il faudrait que tu fasses la conciliation bancaire des comptes.

Lion: Non.

Vous: M'aiderais-tu à le faire?

Lion : Non.

Comme vous le voyez, cette technique est vouée à l'échec. Essayez plutôt ceci :

Vous : Je ne sais pas ce que j'ai fait dans le carnet de chèques : je ne m'y retrouve plus. Y jetterais-tu un coup d'œil ? Ton coup de main me sauverait la vie.

Lion (*magnanime*) : Donne-le-moi. Je vais m'en occuper.

Utilisez toujours des superlatifs. Pour plaire au Lion, le superlatif est toujours indiqué. Il s'agit ici de mots qui évoquent la grandeur : «grandiose», «immense», «incroyable», «impressionnant», «meilleur»... vous voyez le genre.

Par exemple, lorsque le Lion vous parle d'une idée qu'il a eu pour prendre de l'avance au travail, dites : «C'est une grandiose idée», ou «Ça me semble un immense pas en avant.»

Comment se tirer d'embarras

Les relations amoureuses avec le Lion ne sont pas faites que de champagne et de sexe. Voici quelques situations délicates potentielles et la meilleure façon d'y réagir.

Composer avec la moue du Lion. Lorsqu'il est irrité, le Lion peut rugir ou bouder. Les rugissements sont toujours préférables, car le silence boudeur du Lion est assourdissant. De plus, ce dernier est capable de vous envoyer un coup de patte au moment précis où vous comptiez sur son côté éminemment sociable. Par exemple, lorsque vous tenez compagnie à votre patron ou à une VIP. Votre Lion est assis à côté de votre patron. Votre avenir dépend de l'impression que ce dernier tirera de ce dîner. Le patron fait de son mieux, mais si votre Lion n'engage pas la conversation dans les prochaines secondes, vous passerez pour une ratée. Comme votre Lion.

Votre patron (*au Lion*) : On m'a dit que vous étiez propriétaire d'une galerie d'art.

Lion : Oui.

Votre patron s'agite et cherche à la ronde quelqu'un à qui parler. Il est temps d'intervenir.

Vous (*de l'autre côté de la table*) : J'adore les beaux-arts, particulièrement les impressionnistes de la Renaissance. Pas toi, mon chéri ?

Lion : Les impressionnistes de la Renaissance ? Ça n'existe pas. Vous ne savez pas de quoi vous parlez. Le mouvement des impressionnistes a...

Impatient de corriger votre erreur, le Lion oublie de faire la gueule. Vous voilà tirée d'embarras.

Emmener le Lion là où il refuse d'aller. Le Lion ira à peu près n'importe où s'il croit qu'il y sera le centre de l'attention. Cependant, ne comptez pas le traîner dans des endroits qu'il juge indignes de ses critères d'excellence ou de son statut social.

Par exemple, vous aurez fort à faire pour le convaincre d'aller manger dans ce nouveau bistrot à la mode dont on vous a parlé. À moins que vous lui disiez : «Il paraît que Mick [dans le sens de *Jagger*] va toujours là quand il vient en ville. Mais je peux comprendre que tu n'aies pas envie d'y aller... »

Si, en vous retournant, vous constatez que votre Lion a disparu, c'est qu'il est déjà sorti héler un taxi.

Votre Lion rugit-il lorsqu'il vous accompagne au cocktail dînatoire de votre bureau ou à l'opéra ou au théâtre ? Si oui, savez-vous pourquoi ?

Ce peut être parce que vous occupez un grade supérieur au sien dans l'une de vos fonctions. Votre Lion tient alors le rôle d'escorte ou de faire-valoir. Dans ces circonstances, vous n'avez d'autre choix que de l'acheter.

Empêcher le Lion de ramasser l'addition. Vous retrouvez des amis dans un restaurant pour prendre un verre. Juste un verre. Vos amis ont déjà soupé lorsque vous les rejoignez. Au moment de régler l'addition, que fait le Lion?

«C'est ma tournée», dit-il en s'emparant de l'addition. À ce rythme, ses tournées vous conduiront à la faillite. Vous mourrez d'envie de lui dire : «Arrête, on n'a pas les moyens!» et de déposer un billet de 20 $ pour couvrir votre part.

Retenez-vous.

Lorsque vous voyez le serveur approcher, murmurez plutôt à l'oreille de votre Lion: «Chéri, tu fais tellement d'ombre à François. Regarde-le, le pauvre, il t'envie.» Le principal intéressé affiche un sourire satisfait à l'idée de se faire payer la traite. «Pourquoi ne lui laisses-tu pas l'occasion de se sentir important? Laisse-le ramasser l'addition cette fois.»

Le Lion se rangera à votre idée.

Faire avec les sermons du Lion. Le Lion peut entretenir son auditoire sur à peu près n'importe quel sujet. Par exemple:

✳ Les mérites de la ponctualité (un sermon qu'il vous servira alors que vous avez tout juste le temps de vous rendre à votre rendez-vous).

✳ Le fait que vous accordez plus d'attention à quelqu'un ou quelque chose d'autre que lui (y compris votre nouveau-né ou votre travail, alors que vous êtes en lice pour une promotion).

✳ La meilleure façon (c'est-à-dire la sienne) de transiger avec la femme de ménage, les subalternes du bureau, etc.

Ne prenez pas la peine de discuter. Vous y gagneriez un autre sermon, celui-là sur le manque de respect.

Optez plutôt pour le compliment : « Est-ce qu'on t'a déjà dit que tes yeux sont aussi bleus que les saphirs des Joyaux de la Couronne britannique ? »

Votre Lionne perdra le fil, puis clignera des yeux deux ou trois fois avant de sourire. Puis elle fera la moue en disant : « Tu veux dire qu'ils ne le sont pas plus ? »

Ce n'est pas ce que j'ai dit ? Affichez votre plus désarmant sourire et dites : « Mais bien sûr qu'ils sont plus bleus. » Sermon oublié.

L'exercice est plus difficile lorsque le sermon du Lion porte sur sa propre personne. Imaginons que vous écoutez son discours narcissique depuis une demi-heure. Il finira par dire : « Assez parlé de moi. Et tes amies, que pensent-elles de moi ? » Mentez.

Le patron Lion

Qui, dans votre milieu de travail, passe le plus de temps au resto, travaille le moins et occupe le plus grand bureau ? Votre patronne Lionne.

La native du Lion n'est pas votre patronne, mais votre supérieure. Elle excelle à déléguer, ce que ses ennemis envieux appellent se défiler devant le travail. Comme l'ami ou l'amant, la gestionnaire native du Lion commande le respect. N'entrez pas au bureau mieux vêtue qu'elle et ne vous lamentez pas de votre surcharge de travail. Si une Balance soulignait l'injustice dont elle est l'objet, elle serait aussitôt rétrogradée sous les ordres d'un gestionnaire plus passif de type Poissons. Le Lion est le plus inéquitable de tous les patrons. C'est un dictateur. Ne l'oubliez pas.

Comment gérer le patron Lion

Vous l'aurez déduit à ce stade-ci du chapitre, tous les Lions sont des patrons. Voici comment composer avec celui qui signe votre chèque de paie.

Manifestez-vous. Souvent. Vous êtes imputable au patron Lion en tout temps. Ce dernier veut savoir ce que vous faites, si vous avancez dans votre travail et avec qui vous travaillez. Si vous ne le lui dites pas, il vous le fera payer. Il vaut mieux tenir votre patron au courant dès le début d'un projet ; vous aurez moins d'ennuis. En tout cas, un peu moins d'ennuis.

Vous : Je vais au bureau de poste. Avez-vous besoin de quelque chose ?

Patron : Oh non, rien. Je ne veux pas t'imposer une corvée. Enfin, me prendrais-tu des timbres de l'édition limitée de K.D. Lang et un lunch en revenant ? Et dis-leur « pas de raifort » ce coup-ci. La dernière fois, j'ai empesté le client à fond. Où avais-tu la tête ? Et pendant que tu y es, achète donc une petite nuisette pour l'anniversaire de ma femme. Comment ? Vas-y selon ton jugement. Tu sais que je ne suis pas un de ces patrons dominateurs.

Vous (*en déglutissant*) **:** Oui monsieur.

Faites preuve d'appréciation. Vous vous rappelez cette babiole que vous a offerte le Lion lors de votre premier anniversaire au sein de son équipe ? S'il s'agit d'un bijou, portez-le. Sinon, faites-y référence. Souvent et devant des tiers.

Vous (*à l'heure du lunch, avec le Lion et des collègues*) **:** J'aime tellement la reproduction de Degas que vous m'avez offerte. Je l'ai mise dans ma chambre, si bien que c'est la première chose que j'aperçois à mon réveil. (*Souriez avec gratitude.*)

Le Lion se dira qu'il a eu raison de vous engager. Vous avez si bon goût.

Faites preuve de respect. Le rang et les titres comptent beaucoup pour le Lion. À ses yeux, ils le définissent comme étant supérieur à vous. Donnez-lui toujours du Monsieur ou du Madame. Rappelez-vous cette obsession du rang lorsque vous finirez par l'appeler par son prénom. Si votre démocratique Lion répond au nom de Fred, vous feriez mieux de l'appeler Frédéric. Même s'il s'appelle vraiment Fred, appelez-le Frédéric. C'est sans doute le nom qu'il se donne.

Pour demander une augmentation de salaire, tablez sur l'orgueil du Lion. Ce dernier ne supporte pas l'idée qu'on puisse penser qu'il n'a pas les moyens de s'offrir une employée comme vous. Cela voudrait dire qu'il n'est pas important et qu'il ne peut prendre soin de ses serfs. Pour obtenir cette augmentation, essayez la stratégie suivante :

Vous : Raymond Laurendeau, de Laurendeau Duquette [un cabinet concurrent] affirme que notre cabinet n'est pas très solide. Selon lui, vous n'auriez pas les moyens de m'offrir une augmentation de 7 %. Je lui ai dit qu'il était dans le champ.

Patron : Et comment qu'il l'est ! Tu es sûr que 7 % te suffisent ?

Attribuez au Lion les mérites de votre travail. Aussi bien les lui donner, il les prendrait de toute façon. Le supérieur du Lion convoque une réunion. Vous n'êtes pas prêt. Le Lion entre dans la salle de réunion tout sourire.

Lion : On a travaillé très fort sur ce dossier. Mon assistante, ici, est au fait des moindres détails. Allez, c'est à toi.

Le Lion vous présente à l'assemblée. Tout le monde vous regarde. Vous farfouillez dans vos notes en sentant vos paumes devenir moites. Puis une inspiration vous tire du pétrin.

Vous : Je crois que nous… en fait c'est une approche avec laquelle M. Lion jonglait depuis quelque temps. D'abord, nous…

C'est une idée géniale que vous avez eue. Non, c'est une idée géniale du Lion. Révélerez-vous le fond de l'histoire à quelqu'un ? Pas si vous souhaitez garder votre emploi.

Portez-vous volontaire pour accomplir des tâches fastidieuses. Aussi bien le faire. Le patron Lion vous désignera de toute façon.

Les pièges à éviter auprès du patron Lion

Ne discutez pas les ordres du Lion. Prenez garde lorsque le Lion fait une suggestion (dans son vocabulaire, c'est l'équivalent de donner un ordre ou d'émettre un décret). Vous n'êtes peut-être pas de son avis, mais vous ne souhaitez pas le contredire. C'est sage.

Utilisez plutôt une formule qui ménagera l'amour-propre du Lion tout en vous laissant le champ libre. « J'en prends bonne note », « Bon point » ou « Je n'y avais jamais songé sous cet angle » sont de bons exemples.

Ne contournez pas le Lion pour parler à son patron. Ne parlez même pas de ce dernier. Le Lion déteste se faire rappeler qu'il a un patron.

Quand on fréquente un Lion, il faut se rappeler que la star, c'est lui et qu'à ce titre, il mérite le respect auquel a droit toute tête d'affiche. Si vous flattez l'ego du Lion, vous pouvez obtenir tout ce que vous voulez, y compris sa voiture, ses cartes de crédit et sa femme. Rappelez-vous cependant que le Lion est célèbre pour ses crises de diva. Et puis, on ne peut qu'admirer le charisme du Lion, de toute façon, c'est obligatoire.

CHAPITRE 8

Vierge : ministre de la Minutie

Soleil en Vierge : 24 août au 23 septembre
Planète en domicile : Mercure

Je résous vos problèmes : veuillez m'écrire une lettre en y énumérant vos problèmes en ordre d'urgence. (Pour recevoir une réponse, joignez une enveloppe-réponse affranchie et adressée.) Je réglerai tout ce qui ne va pas dans votre vie. Puis – si l'horaire le permet – nous passerons à table à 20 h et ferons l'amour après la douche. Vous pouvez aussi me joindre via mon site Web (voir ci-dessous). Il est en voie d'amélioration et en reconstruction constante. Pardonnez le désordre, le bran de scie et les bits qui traînent partout.

Passons outre au stéréotype de la Vierge le plus persistant, celui de la célibataire végétarienne intégriste qui ne trouve rien d'autre à faire que de corriger vos fautes de grammaire, d'ajouter des notes de bas de page aux conversations et de laver votre assiette avant que vous ayez fini de manger.

Bien que certaines Vierges soient effectivement portées sur la propreté et les régimes végétariens très équilibrés, de nombreux représentants de ce signe sont carnivores et n'ont jamais entretenu de relation intime avec un balai.

Le stéréotype est un écran de fumée qu'ont créé les natifs du signe pour se protéger et tromper leur entourage. La Vierge est en fait l'objet d'un désir universel. Les Vierges ont un je-ne-sais-quoi d'immaculé qui donne envie de les entraîner dans des abysses de perversion tout en espérant qu'elles feront une lessive pendant qu'elles s'y trouvent. Mais prenez garde. Pendant que vous tenterez le coup, la Vierge vous entraînera dans un abysse d'impuissance. La pureté n'est qu'un appât.

Méfiez-vous des tactiques de séduction de la Vierge

Avant de manipuler une Vierge, apprenez comment les natifs de ce signe séduisent leur proie avant d'entrer dans ses bonnes grâces. La Vierge va au-devant des ennuis, les vôtres. Voici comment elle les trouve.

Méfiez-vous de l'intelligence de la Vierge

Ce visage serein cache un esprit brillant. Ce dernier révélera au grand jour tous les problèmes qui affectent votre vie. Particulièrement ceux que vous ne souhaitez pas voir.

La Vierge existe pour créer de l'ordre et ramener le calme dans le chaos. La Vierge ne vous imposera rien qu'elle ne serait disposée à s'imposer à elle-même. Et la Vierge s'imposerait n'importe quoi, y compris organiser sa propre vie. Elle entend maintenant organiser la vôtre.

Morale : Si vous succombez à la séduction de la Vierge, elle organisera votre vie comme vous ne l'auriez jamais cru possible.

Méfiez-vous de l'obligeance de la Vierge

La Vierge se sert de son amabilité comme d'une bretelle d'accès à votre esprit. Elle commence toujours par le faire innocemment. Imaginons que vous êtes aux prises avec un guichet automatique récalcitrant : il ne cesse de recracher votre carte et d'émettre des bips menaçants. Vous réessayez. Nouvel échec. Puis vous entendez une voix derrière vous.

La voix : Avez-vous essayé d'insérer la carte pour que la bande magnétique soit à gauche plutôt qu'à droite ?

Vous : Non, je n'y avais pas pensé.

La voix : Attendez, je vais vous montrer.

Vous (*avec une gratitude perplexe lorsque le terminal vous invite à saisir votre NIP*) **:** Merci !

La voix : Tant mieux si j'ai pu vous aider.

Vous frémissez tout à coup. Un frisson vous parcourt l'échine et vous vous attendez presque à voir une limousine noire aux vitres teintées se ranger près de vous. Était-ce le fruit de votre imagination ? N'est-ce pas le genre de formule qu'utilisent les mafiosi lorsqu'ils invitent des personnes encombrantes à monter dans leur voiture, avant de les faire disparaître : « Allons faire un tour. »

Morale : Si les gentillesses d'une Vierge vous font craquer, vous courez un grand danger. Elle pourrait bien prendre votre vie en charge.

Vous voulez gérer la vie d'une Vierge ? Les Vierges sont des professionnelles dans la gestion d'autrui. Non seulement vouent-elles à leur travail une passion immorale, mais elles y consacrent 168 heures par semaine. Il n'est pas non plus facile de manipuler une Vierge, car elle jouit d'un flair exceptionnel pour détecter vos manœuvres.

En revanche, la compulsion de la Vierge à vous venir en aide la pousse à accomplir des exploits que vous ne pourriez rêver de voir les autres signes accomplir, même en les manipulant. Les tâches ennuyeuses ravissent la Vierge : elle se languit de faire les courses et la conciliation des comptes, et de chercher des chaussettes disparues. Vous n'avez qu'à demander. Cette obligeance comporte-t-elle un prix, autre que votre âme bien sûr? Oui. Non seulement devrez-vous vous plier à l'agenda de la Vierge, mais vous n'aurez aucun passe-droit ni d'autre passe-temps, d'ailleurs, que la Vierge.

Comment reconnaître une Vierge

Pour éviter d'être pris en charge par un natif de la Vierge, apprenez à le reconnaître avant qu'il ne vous trouve. Comme les natifs du Gémeaux, les Vierges sont des as de la communication. Mais contrairement aux Gémeaux, qui font de la joute verbale un sport, les Vierges conversent toujours dans un but précis, par exemple pour vous dicter quoi faire d'une façon polie mais implacable. Voici où l'on trouve les natifs de la Vierge:

✳ à la bibliothèque, en train de digérer de l'information ou de la répandre;

✳ à l'université (la meilleure) en bonne voie d'obtenir leur doctorat;

✳ en train de brutaliser un adversaire dans une partie de Scrabble avec contacts;

✳ en train de faire un horaire ou de s'y conformer.

La manipulation par la communication : du bon usage du discours sur la Vierge

La communication efficace est essentielle pour manipuler une Vierge. Retenez que les natifs de la Vierge aiment parler et vous le prouveront si vous leur en donnez l'occasion. Naturellement, les personnes éloquentes les intriguent.

Morale: La Vierge risque de vous écouter si vous utilisez son vocabulaire.

Attirez la Vierge au moyen de mots sexy

« Horaire », « peaufiné », « détaillé », « organisé » sont tous des mots qui émoustillent la Vierge. Alors abandonnez-vous.

Séduisez la Vierge verbalement

Vous pouvez obtenir ce que vous voulez d'une Vierge en privilégiant certaines formules, particulièrement si elles vous permettent de confesser votre inaptitude. Essayez l'approche suivante :

Vous (*les yeux plissés devant l'écran de l'ordinateur, l'air abattu*) : Je suis vraiment coincé. Aurais-tu une meilleure idée pour organiser cette feuille de calcul ? Ou :

Vous (*penché sur l'évier de la cuisine*) : Plus ça va, pire c'est. Peux-tu m'aider à dégager la cuillère qui s'est coincée dans le broyeur à déchets ?

La suite ne vous appartiendra plus, car la Vierge aura pris les commandes.

Morale : Affichez une mine désorientée et la Vierge deviendra volontiers votre esclave bénévole.

Communiquez avec précision

Soyez précis et logique lorsque vous parlez à la Vierge. Pour ce faire, apprenez des mots de son vocabulaire. La Vierge exige que vous lui teniez un discours clair, mais elle ne vous rendra pas la pareille. Le natif de la Vierge invente des définitions et vous ne les trouverez donc dans aucun dictionnaire. Apprenez donc les définitions incontournables suivantes :

✳ *Intuition :* Un état de confusion mentale. Les symptômes sont la croyance en des philosophies que la logique, la méthode scientifique ou une règle de calcul ne peuvent démontrer. Ce trouble cognitif frappe les artistes, les mystiques et toute personne qui ne détient pas un diplôme de deuxième ou troisième cycle en économie. Note : On peut aider les personnes atteintes en leur donnant un cours de logique.

✳ *Spontanéité :* Une manifestation imprévisible observable chez les personnes désorganisées qui souhaitent bouleverser un programme. La spontanéité, lorsqu'on s'y laisse aller, peut mener au chaos et provoquer la désorganisation du calendrier, si bien qu'il faut l'éviter à tout prix. Note : Consulter son calendrier fréquemment.

✳ *Vue d'ensemble :* Un terme argotique pour désigner « totalité » qu'utilisent les personnes qui ne sont pas accoutumées à la précision ; il vise à distraire une personne qui tente de se concentrer sur les détails. L'exposition soutenue à la vue d'ensemble entraîne une perte de perspective. Note : Éviter les galeries d'art, les appareils photo et les personnes douées d'imagination.

Morale : Ces mots manquent de précision. Ne les utilisez pas.

Le talon d'Achille de la Vierge, ou comment l'amener à vous aider comme vous le souhaitez

La Vierge est une volontaire enthousiaste, prête à présider un comité comme à faire du café. Lorsqu'elle vous aide, la Vierge a déterminé quelles sont vos priorités. Or, elle ne vous a pas consulté. Vous préféreriez qu'elle nettoie les gouttières ou qu'elle change de chaîne musicale ? Voici comment amener un natif de la Vierge à faire ce que vous voulez.

Laissez la Vierge vous aider à sa façon… au début. Commencez par laisser votre ami vous rendre les services qu'il souhaite vous rendre, mais qui ne vous aident en rien. Par exemple, votre ami est convaincu que vous devriez revoir l'organisation de votre bibliothèque. Or, vous préféreriez de loin revoir le système de classement de votre paperasse. Attendez que la Vierge ait réorganisé vos livres par sujet, puis confiez-lui le dossier du classeur.

Morale : En laissant la Vierge faire d'abord ce qui lui chante, vous pourrez ensuite lui faire faire ce que vous voulez.

Gardez la Vierge occupée. La Vierge doit se sentir utile. Constamment. Misez là-dessus.

Vous : Attendrais-tu l'électricien qui doit venir samedi pendant que j'irai faire des courses ? *Et*

Vous : Aimerais-tu te porter volontaire pour faire la tenue de livres du club d'investissement du quartier ?

La Vierge dira oui dans les deux cas.

Morale : L'enfer, selon la Vierge, est une trop courte liste de choses à faire et un carnet de rendez-vous vierge.

Exprimez vos doléances à la Vierge. Les natifs de la Vierge sont passés maîtres dans la résolution de problèmes. Ils avalent les plaintes comme des alcooliques enfilent les cocktails. On ne doit donc pas s'étonner que les Vierges soient aux prises avec de nombreux problèmes. Ils n'en ont jamais trop, toutefois, et gardent toujours l'œil ouvert pour d'autres. Partagez les vôtres et ceux de vos amis, de vos proches et de vos collègues.

Morale : Aiguillez les plaintes et les problèmes vers la Vierge. Elle ne s'en formalisera pas. Au contraire !

L'analyse qui paralyse : le problème des Vierges

Vous avez un souci. Vous ne pouvez vous en plaindre auprès de la Vierge parce que votre souci la concerne directement. Pourquoi voudriez-vous freiner les efforts d'une telle âme charitable ? Votre Vierge s'est montrée dévouée et incroyablement serviable. Son plus grand tort est de placer les fourchettes à l'envers, c'est-à-dire les dents vers le bas, dans le lave-vaisselle. Or, la Vierge s'est lancée dans l'analyse.

Voici comment elle procède : elle décortique le problème, considère chaque élément sous tous ses angles, réfléchit, analyse, puis réassemble le problème et recommence.

Vous voyez le problème.

Tout va bien si l'objet de la fixation du moment est un photocopieur qui fonctionne mal. Le processus peut cependant devenir irritant lorsque la Vierge utilise ses outils de dissection pour travailler sur un sujet vivant, comme vous.

Une fois que la Vierge en aura fini avec vous, vous vous sentirez nu, en pièces détachées, examiné sous tous vos angles, critiqué et viré à l'envers. Voici comment vous en sortir.

Vous ne pouvez pas dire à la Vierge de cesser d'analyser. Si vous le faites, elle se lancera dans une théorie sur ce qui vous pousse à refuser d'être analysé. La meilleure façon de composer avec l'analyse de la Vierge est de lui servir sa propre médecine. Essayez les tactiques suivantes.

Donnez à la Vierge autre chose à décortiquer. Rappelez-vous son penchant pour les détails, sa soif inextinguible d'information et son besoin compulsif d'aider. Distrayez-la en lui demandant de trouver un renseignement peu connu et incroyablement inintéressant dont vous pourriez néanmoins avoir besoin.

Vous : Je travaille sur un projet de comptabilité fiscale au bureau. Pourrais-tu te documenter sur la règle qui permet d'estimer les acomptes provisionnels à verser pour le prochain exercice lorsqu'il n'est pas possible d'estimer le revenu dudit exercice ?

Vierge : Oui.

La Vierge plongera dans les volumes de la Loi de l'impôt sur le revenu, naviguera de paragraphe en paragraphe, écumant les sous-sections pour trouver la réponse. Avec de la chance, elle y mettra beaucoup de temps, ce qui vous permettra de vous remettre de sa dernière analyse vous concernant.

Laissez la Vierge s'occuper des courses. Dans la mesure où ils aiment se tenir occupés, les natifs de la Vierge adorent faire des activités ennuyantes comme les courses. Ils aiment même faire les vôtres. Vous devez faire un saut à la quincaillerie pour acheter un loquet de clôture, à l'animalerie pour renouveler les croquettes du chat et au magasin de fournitures de bureau pour remplacer votre cartouche d'imprimante ? Déléguer ces tâches à une Vierge. Elles la distrairont d'une autre analyse dont elle a le secret… pour l'instant.

Quittez la pièce. Parfois, le seul moyen d'échapper à l'analyse consiste à fuir la Vierge. Faites toutefois preuve d'inventivité dans votre choix de raisons de partir. Rappelez-vous l'intelligence et la logique de la Vierge. Appuyez votre fuite sur un motif logique et acceptable.

Vous (*en consultant votre agenda*) : Cette discussion est très intéressante. Malheureusement, j'ai un rendez-vous urgent.

Les vices de la virginité : la Vierge et l'amour

Votre partenaire Vierge est futé, poli, dévoué, docile et sexy à sa façon. La Vierge est un signe de terre, ce qui signifie qu'elle peut tenir des propos truculents et qu'elle dégage une aura sexuelle. Pas étonnant que tout le monde veuille la séduire.

Par leur nature salace, les natifs de la Vierge s'émoustillent devant de nombreuses choses. Explorez les avenues suivantes pour titiller votre partenaire Vierge et l'amener à vous aider de façon plus intime.

Comment séduire une Vierge

Prenez des nouvelles de son travail.

Vous : Ton travail doit être vraiment intéressant.

Vierge : Il l'est ! Je conçois des systèmes de comptes fournisseurs pour les fabricants de pipelines de gaz naturel…

Il se lancera alors dans une description détaillée de son travail, d'une journée type au bureau, des bourrages de papier du photocopieur, le tout avec une expression exaltée qui vous rappellera les candidats à la canonisation.

Morale : Faire parler un natif de la Vierge de son travail est aussi efficace que de tenter de le séduire avec du champagne et un déshabillé noir.

Démontrez votre intelligence. Dépoussiérez vos diplômes. Encadrez votre carte de membre de Mensa. Si vous n'avez rien de tout ça, empilez quelques volumes du Grand Robert encyclopédique sur votre table de chevet. La Vierge sera séduite.

Morale : Un QI dans les trois chiffres est un puissant aphrodisiaque pour la Vierge.

Faites bonne impression lors des rendez-vous. Sans être une intégriste de l'étiquette, la Vierge apprécie les bonnes manières, particulièrement lors d'une soirée galante au restaurant. Elle apprécie les détails, comme le fait d'être ponctuel et de s'adresser au serveur correctement.

Vous aviez rendez-vous ce soir avec votre Vierge du moment et vous souhaitiez l'impressionner. Bon, vous n'aviez pas la monnaie exacte pour le vieux parcomètre où vous vous êtes garés, mais ça ne vous a retardé que de sept minutes sur votre réservation au restaurant. Plus tard, au moment de donner le pourboire, vous avez oublié que ce dernier aurait dû représenter au moins 15 % de l'addition avant les taxes. Vous avez heureusement pu vous racheter puisque vous n'avez parcouru que trois pâtés de maisons dans la mauvaise direction avant de retrouver la voiture. Vous avez fait bonne impression. Où est votre Vierge du moment ?

Déjà en ménage avec vous. C'est que vous êtes irrésistible. Vous avez besoin d'aide.

Morale : L'incompétence allume les Vierges.

Comment soutenir l'intérêt de votre partenaire Vierge

Poursuivez votre campagne de séduction en ayant l'air à la fois intelligent et incompétent. La Vierge veillera sur vous, sur votre paperasse, votre lessive, votre recyclage, renouvellera votre abonnement à *Québec Science* et cherchera pour vous des produits de nettoyage de meilleure qualité. Elle vous récompensera en outre en se montrant désespérément fidèle.

Ce n'est pas tout. Vous avez découvert un défaut de la Vierge qui menace votre tranquillité d'esprit et votre couple. Qu'est-ce qui cloche ? Votre virginale partenaire ne vous a pas surpris à faire une faute d'accord ou à remettre les chaussettes que vous portiez la veille. Elle n'a pas commencé à conjuguer les verbes irréguliers en latin pendant vos ébats amoureux. Cependant sa délirante manie du détail a pris le dessus.

Vous vous noyez dans une minutie quotidienne. Vous savez exactement où trouver votre brosse à dents violette et les bordereaux de dépôt du compte d'épargne, mais vous avez perdu votre vue d'ensemble.

Il est bon de savoir que quelqu'un a la maîtrise des moindres détails du quotidien. L'ennui est que vous en faites partie. Et vous ne pouvez plus vous laisser aller au plaisir parce qu'il n'est pas ventilé par étape ni inscrit dans une case horaire. Avant d'envoyer votre Vierge en clinique de désintox, essayez les techniques d'adaptation suivantes :

Insufflez du plaisir dans l'horaire de la Vierge. Habituée au sacrifice, la Vierge est accro à la gratification différée et peut tout encaisser, sauf des vacances. Vous, vous voulez vous amuser. Le plaisir, selon votre conception, peut consister à regarder des films, à visiter un musée d'art ou à fureter dans les marchés aux puces. Pour la Vierge, le plaisir, c'est travailler ou surveiller les détails qui clochent.

Vous : Faisons quelque chose d'amusant aujourd'hui. Si on allait avoir l'exposition sur le Bauhaus ?

Vierge : Je travaille. D'ailleurs, on n'a pas d'engagement social à l'agenda avant vendredi prochain.

Vous : Comment, tu n'as pas remarqué la nouvelle entrée à l'agenda ? On nous attend au musée des beaux-arts dans une heure.

Morale : Amenez la Vierge à s'amuser en glissant des divertissements dans une plage horaire de son agenda.

Jouez à l'incompétent. Supposons que vous préparez le souper, et vous échappez les linguinis cuits sur le manche de la casserole.

Vous : Quel gâchis ! Je n'arrive pas à démêler les pâtes.

Vierge : Tout un gâchis, en effet.

Pendant que la Vierge démêle les linguinis, rappelez-vous la morale de cette histoire.

Morale : La Vierge salive à l'idée de corriger les erreurs d'autrui. Commettez-en et laissez-la réparer les pots cassés.

Les pièges à éviter avec l'amant Vierge
N'en faites pas une affaire personnelle. La Vierge est experte en taches. Son œil de lynx les détecte toutes. Tout le monde peut s'améliorer, surtout vous. Ne vous sentez pas visé.

Ne déplacez pas les biens d'une Vierge. L'organisation est aussi précieuse pour la Vierge que l'harmonie pour la Balance ou un portefeuille à rendements élevés pour le Capricorne. S'il est vrai que l'amant Vierge aime corriger vos erreurs, ne vous avisez surtout pas de vous mêler des siennes. Respectez l'ordre alphabétique de sa collection de CD. Maintenez l'ordre qui prévaut dans son garde-manger. Rangez les draps par couleur, même lorsqu'ils sont au lavage. La Vierge sera enchantée.

Ne changez pas la routine ou l'environnement de la Vierge. Vous essuierez les critiques de la Vierge si vous faites certaines choses. Commettez l'un ou l'autre des délits ci-dessous et la Vierge entrera dans un état d'irritation tranquille qui vous rendra fou :

* Ne modifiez pas l'heure de sonnerie du réveil sans sa permission.

* Ne déplacez pas le contenant de lait de la porte du réfrigérateur pour le placer sur la première tablette.

* Ne soyez pas en retard pour le repas.

* Ne modifiez pas la température du thermostat.

* N'analysez pas la Vierge.

Les natifs de la Vierge sont des experts de l'analyse, mais pas de la leur.

Le patron Vierge

Un autre mythe veut que la Vierge soit à ce point dévouée qu'elle n'est capable de travailler que sous les ordres de quelqu'un. C'est ce qui expliquerait la faible représentation de natifs de la Vierge au sein du patronat. En plus d'être fausse, cette notion n'est qu'une rumeur lancée par des Capricornes carriéristes en quête de promotions.

Retenez une chose : la Vierge trouve sa raison de vivre dans le ramassage des pots cassés par les autres... à moins qu'elle soit votre patronne. Lorsqu'elle a fait embosser le mot « Directrice » sur sa papeterie, la Vierge a vu s'évanouir sa pulsion cosmique à vous aider. D'autres gestionnaires considèrent qu'une partie de leur travail consiste à guider leurs employés. Pas la Vierge.

Non contente de refuser de réparer vos erreurs, la Vierge verra dans chacune de vos bourdes une preuve de votre incompétence. Bien que l'incompétence la séduise chez un amant ou un ami, elle vous annihilera si vous vous en rendez coupable au bureau.

Morale : Transpirez la compétence au bureau.

Gardez le patron Vierge heureux

Voici comment éviter que votre patron Vierge soit toujours sur votre dos :

Arrivez tôt au bureau. Montrez que vous êtes un modèle de promptitude en arrivant au bureau à l'heure. Mieux encore, arrivez tôt. Ne vous contentez pas d'arriver avant le personnel de l'entretien ménager, veillez à ce que votre patronne le sache.

Morale : Pointez suffisamment fort pour que votre patronne Vierge vous entende.

Concentrez-vous sur les détails. Votre patron accorde une grande importance aux détails. Parfois, c'est même tout ce qui compte.

Rappelez à la Vierge ses rendez-vous de la journée.

Vous : N'oubliez pas votre rendez-vous de 8 h 15 avec l'analyste des systèmes.

Rappeler à la Vierge le contenu de son agenda est aussi inutile que de rappeler à un libraire que Dostoïevski n'a pas produit de lectures estivales. L'agenda de la Vierge est imprimé dans ses neurones. Elle se souviendra toutefois de votre geste.

Morale : Impressionnez votre patron en lui montrant que vous partagez sa ferveur pour la routine.

Dressez une liste de choses à faire. Devant votre patron, notez les tâches de la journée, particulièrement les plus triviales. Puis biffez chaque élément de votre liste au fur et à mesure que vous les complétez. Assurez-vous de le faire devant la Vierge.

Morale : Le fait de dresser une liste de choses à faire prouve que vous êtes organisé, ce qui est aussi important aux yeux de la Vierge que de préserver un environnement mondial sain et de commander des trombones de la bonne taille.

Rapportez-vous. Vous vous apprêtez à sortir pour prendre l'air, du recul ou une cigarette faite de feuilles cultivées en Jamaïque ? Voici comment faire.

Vous (*à votre patron*) **:** Je vais courir jusqu'au coin pour voir ce qui retarde le messager. Je reviens dans 10 minutes.

Vierge : Pas de problème.

Votre patron n'a rien contre cette diversion, mais rappelez-vous ce que vous lui avez dit.

Morale : Revenez dans 10 minutes. Vous êtes peut-être du genre à perdre la notion du temps lorsque vous admirez les fleurs des arbres et les fentes de trottoir. Ce n'est certainement pas le cas de votre patron.

La vie avec une Vierge peut être très séduisante. Elle peut aussi être marquée par l'analyse, une dévotion aux horaires qui confine à l'esclavage et une somme démesurée de tâches (ou plutôt de corvées), impensable chez tout autre signe. C'est bien connu, les Vierges tiennent à avoir l'air modeste et sans prétention. Ne présumez pas pour autant qu'elles sont faciles à gérer. Lorsque vous manipulez une Vierge, faites preuve d'organisation à tout prix et ne laissez pas la vie vous envoyer une vague qui balayera vos plans. Pour éviter de finir comme ces malheureux qui s'accrochent à leur agenda comme des naufragés à leur radeau, anticipez toutes les difficultés imaginables, validez les moindres détails et vérifiez deux fois plutôt qu'une votre carnet de rendez-vous. Puis déléguez le tout à la Vierge.

CHAPITRE 9

Balance : l'obsession de l'équilibre

Soleil en Balance : 24 septembre au 23 octobre
Planète en domicile : Vénus

Partenaire désiré : Il faut des exigences particulières pour m'offrir un équilibre. D'une part, il vous faut un diplôme en droit de Harvard, un état-major à votre disposition et un spécialiste de l'image. D'autre part, vous devez concorder avec ma conception de l'harmonie, de la beauté et de la perfection. D'autre part... zut, j'ai les mains pleines et les vôtres feraient bien mon affaire. Elles doivent être douces, leurs ongles, manucurés et surtout, elles doivent savoir jongler. Si vous correspondez au profil, veuillez m'écrire sur papier à en-tête embossé et je vous répondrai de la même façon.

Les Balances sont les plus remarquables charmeurs du zodiaque. Les natifs de ce signe donnent l'impression d'être équilibrés. Ils sont de commerce agréable, raffinés et généralement élégants. Leur sourire amène et leur belle voix ne laissent rien soupçonner de leur détermination inébranlable et de leur esprit vifs.

On dit, dans les cercles astrologiques, que les Béliers ont accaparé le marché du leadership. Leurs manières directes leur donnent une aura de commandement. Mais au fond, les Béliers ne sont que les porte-voix des Balances, qui règnent sur le monde.

Voici comment elles s'y prennent et ce que vous devez savoir à leur sujet.

Méfiez-vous des manières impeccables de la Balance. Il est si facile d'être détendu en compagnie des Balances. Une influence de Vénus, leur planète ? La Balance vous demande toujours votre avis poliment. Elle est presque chevaleresque. Disons que vous déjeunez avec une Balance. Lorsque vous la rejoignez à la cuisine, elle vous accueille d'un sourire.

Balance : Comment aimes-tu tes œufs ?

Vous (*intérieurement*) **:** Quelle délicatesse !

Avant de vous lancer dans une analyse comparée des mérites des œufs bénédictine et de l'omelette florentine, observez la scène. La Balance tient-elle un fouet dans une main et une pocheuse à œuf dans l'autre ? Non.

La question que vous a posée la Balance indique-t-elle qu'elle prépare le déjeuner ? Mais non puisque c'est vous qui le ferez.

Méfiez-vous lorsque la Balance sollicite votre avis.

Balance : Qu'aimerais-tu faire aujourd'hui ?

« Super, vous dites-vous, on ira au zoo plutôt qu'au théâtre. » La Balance *semble* s'intéresser à ce que vous aimeriez faire. En fait, elle ne fait que préparer le terrain pour vous dire ce qu'elle veut faire.

Morale : Lorsque la Balance vous aborde avec l'air de solliciter votre opinion, c'est signe qu'elle a déjà pris une décision. C'est à cette seule occasion qu'elle le fera, alors profitez-en.

Méfiez-vous du caractère prévenant de la Balance. La Balance vous désarmera par son apparente prévenance, particulièrement lorsqu'elle sait qu'elle fait quelque chose qui vous irrite.

Imaginons que la Balance fait quelque chose que, d'un commun accord, vous aviez interdit chez vous. Puisque vous aimez dormir tous les deux, vous avez convenu que vous ne feriez pas jouer de musique à tue-tête après 23 h et que vous ne tondriez pas la pelouse le dimanche matin.

Puis un soir, vous entendez la Neuvième de Beethoven faire vibrer les murs ou, pire, un dimanche matin, le moteur de la tondeuse vous réveille à 8 h. Déterminé à rappeler à la Balance les termes de votre entente, vous vous préparez à une discussion musclée.

Vous dévalez l'escalier en inventoriant les tactiques les plus susceptibles de porter des fruits : la raison, la culpabilité ? Et pourquoi ne pas céder à votre penchant naturel en recourant à la colère froide ? La Balance vous aperçoit et sourit avec sollicitude.

Balance : Est-ce un mauvais moment pour faire tout ce bruit ?

Vous chancelez devant pareille considération, si contraire au comportement de la Balance, et en perdez vos mots. Puis vous marmonnez : « Ça va » et proposez d'écouter la symphonie avec elle ou d'aller chercher de l'essence pour remplir le réservoir de la tondeuse.

Morale : Ne tolérez pas la considération comme argument.

Comment reconnaître une Balance

Vous aimeriez faire partie du monde civilisé et raffiné d'une Balance ? Voici où en trouver une :

✳ sur un canapé de velours, étendue et refusant de prendre parti ;

✳ menant ses troupes qui, subjuguées par sa belle voix et la profondeur de ses fossettes, font tout ce qu'elle veut ;

✳ chancelant sur les plateaux de la justice, et sautant de l'un à l'autre ;

✳ au tribunal, plaidant pour et contre l'accusé avec un détachement passionné ;

✳ dans une ambassade, émettant des énoncés diplomatiques et témoignant de son talent à ne rien dire avec distinction.

✳ remettant son jugement à plus tard (c'est-à-dire incapable de se décider).

La Balance passe sa vie à tenter d'être modérée avec agressivité. Ce mouvement de va-et-vient l'épuise tout autant que ceux qui la regardent aller. Oui, la Balance est une personne indéniablement charmante, toujours raisonnable et d'humeur égale. Néanmoins, ceux qui la côtoient trop longtemps en viennent à craindre que le nœud qu'ils ressentent à l'estomac ne se transforme en ulcère, et tout le monde sait que seules les Vierges développent des ulcères. Vous êtes du lot et vous vous dites que vous n'êtes pas normal ? Avant d'accuser votre mère d'avoir menti sur votre date de naissance, réfléchissez.

Si ce genre de contorsion mentale vous fait désespérer de retrouver un quelconque équilibre, imaginez son effet sur une Balance.

Comment décoder le langage de la Balance

Ce n'est pas un hasard si la Balance est reconnue comme étant le signe de la diplomatie. Si le charme est l'ultime refuge des fripouilles, la Balance est une réfugiée de première. La plupart des charmeurs exercent leur talent sur un petit auditoire. Si les diplomates sont des charmeurs jouissant d'un auditoire international, on peut dire que les Balances sont des diplomates jouissant d'un auditoire intergalactique.

Vous n'aimez pas décoder les conversations? Vous êtes plutôt du genre à dire les choses comme elles sont? Dans ce cas, dites adieu à la Balance et jetez votre dévolu sur des signes plus directs du zodiaque, comme les Béliers, les Taureaux, les Gémeaux, les Cancers, les Lions, les Vierges, les Scorpions, les Sagittaires, les Capricornes, les Verseaux ou les Poissons.

Il est toujours sage, lorsqu'on voyage à l'étranger, de se munir d'un dictionnaire de la langue d'usage du pays. Il est encore plus sage de se munir d'un dictionnaire de locutions propres aux Balances lorsqu'on doit en côtoyer au travail, dans sa vie personnelle et dans son lit.

Voici quelques locutions de Balance suivies de leur traduction.

Les euphémismes de la Balance et la traduction pour tous les autres signes

« Tu es le premier invité à utiliser la serviette de bain plutôt que la serviette à mains. »

Vous serez le dernier invité.

« Tes histoires de bouchon de circulation sont passionnantes. Une autre fois peut-être ? »

La Balance s'en fiche complètement.

« Attends, laisse-moi t'aider à choisir un nouveau papier peint. »

Vous êtes sur le point d'acheter un papier peint que la Balance n'utiliserait pas pour décorer la litière de son chat.

« Je ne suis pas douée pour renouveler les fournitures du bureau. »

La Balance préfère vous laisser l'organisation des chemises et des trombones.

« J'adore le magazine que tu lis. »

La Balance aime le magazine que vous êtes en train de lire. Tous les autres que vous lisez habituellement sont nuls. Envoyez-les donc au recyclage.

« Je dors habituellement du côté droit du lit. Mais tu le sais, bien sûr. »

Vous devriez le savoir.

Soyez indirect

La Balance déteste le franc-parler. Dans son monde, tous les chemins sont tortueux. Non seulement devez-vous lire entre les lignes, mais en plus, les lignes s'étirent sur des kilomètres. Naviguez avec précaution.

Ne recourez pas à la force

Évitez la confrontation. La Balance répond habituellement à la force par la force et se lancera dans d'autres argumentations. Revoyez votre plaidoyer.

L'avocat en habits de prétendant : la Balance et l'amour

Les Balances sont toujours en couple ou en quête d'un partenaire, parfois les deux en même temps. C'est le signe astrologique pour qui sont nées les agences de rencontre, non pas parce que les Balances sont incapables d'obtenir un rendez-vous galant sans qu'un tiers vante leurs mérites, mais bien parce qu'elles veulent toujours être en relation avec quelqu'un. Une Balance célibataire, ça n'existe pas. Vous êtes en couple avec une Balance ? Résistez à l'envie de regarder derrière vous. Vous pourriez apercevoir des prétendants à votre titre.

Votre vie amoureuse avec une Balance sera plus paisible si vous vous prémunissez contre quelques tactiques propres à ce signe.

La discussion, façon Balance

Les Balances aiment disserter, mais leur discours relève davantage de la discussion. Elles aiment répliquer. Les natifs de ce signe sont de grands penseurs. Ils pensent surtout à s'obstiner, ce qu'ils voient comme un sport et une sorte de débat distrayant. Vous risquez plutôt d'y voir un châtiment cruel et singulier.

La Balance trouve dans l'argumentation un divertissement des plus raffinés et, d'ailleurs, son préféré. À moins que les débats vous passionnent, ne titillez pas cette corde sensible.

Votre partenaire Balance est capable de se montrer à la fois charmante et brutale. Lorsque vous sentez que vous pourriez céder à son charme, arrêtez-vous et répétez sa dernière remarque dans un magnéto, histoire de voir si elle semble aussi séduisante lorsqu'elle sort de votre bouche.

L'apparente légèreté de la Balance

La légèreté de la Balance n'est qu'une façade. Vous croyez qu'elle est du genre à aimer vos plaisanteries et à en faire ? Vous avez tort. La frivolité n'est qu'un déguisement qu'utilise la Balance pour vous endormir alors qu'elle se prépare à vous terrasser psychologiquement.

La pseudo-suggestion

Après un délicieux repas, votre Balance chérie vous fait une suggestion.

Balance : M'accompagnerais-tu à la cuisine pour me faire la conversation pendant que je lave la vaisselle ?

Vous vous sentez bête de rester à ne rien faire pendant que votre belle fait tout le travail, alors vous récurez les casseroles, vous nettoyez l'évier et vous débarrassez les plans de travail pendant que la Balance remplit le lave-vaisselle, sauf qu'elle n'a pas encore commencé. Vous êtes satisfait, et le doux sourire de la Balance indique qu'elle l'est aussi.

Vous êtes installés devant la télé avec un digestif lorsque la Balance jette un coup d'œil en direction de la cuisine et soupire. « Devrais-je démarrer le lave-vaisselle ? Je crois que je vais attendre. La cuisine n'est pas aussi en ordre que je le voudrais. » La Balance sourit et vous serre le bras.

Vous croyez qu'elle s'excuse ? Mais non ! Elle vous réprimande. Oui, vous.

Comment séduire la séduisante Balance

Les natifs de la Balance sont taillés sur mesure pour la séduction. Ils aiment l'amour et ils aiment être en couple. Les classiques de la séduction – éclairage tamisé, musique en sourdine, mets délicats – marchent à fond auprès d'eux. Vous ne vous tromperez pas en ajoutant quelques extras, comme un massage ou un billet doux. De bonnes réserves de chandelles pour donner de l'ambiance sont un *must*. La Balance aime les détails. Elle recevra avec un enthousiasme attendrissant chacune de vos gentillesses. Vous ne regretterez pas de lui avoir compté fleurette. Les Balances sont de remarquables compagnons si la romance est dans vos cordes. Vous vibrez plutôt à l'extravagance et à l'imprévu ? Fuyez.

La Balance adore la notion de partenariat. Très tôt dans la relation, certains de vos commentaires pourraient être annonciateurs de votre avenir à deux. Par exemple, dites des choses comme : « J'aime tant être avec toi ! Tu réussis bien ce que j'ai du mal à faire, et vice versa. Nous nous complétons à merveille. Trouves-tu, comme moi, que nous formons un beau couple ? »

Si vous avez déjà eu pour partenaires des êtres indépendants comme les Sagittaires, les Verseaux ou les insaisissables Poissons, vous savez que ce genre de commentaires les ferait fuir. Pas la

Balance. Les natifs de la Balance adorent être en couple. Vous adorerez aussi à condition d'éviter de faire certaines choses.

Les pièges à éviter avec la Balance

Dans une relation avec un signe aussi agréable que la Balance, vous n'avez qu'un seul piège à éviter, mais c'est un piège à ours. *Ne vous laissez pas déconcerter par les discussions de la Balance.*

Vous êtes une âme particulièrement sensible qui perçoit tous les besoins d'autrui et qui y répond instinctivement ; vous vous attendez donc à ce que votre entourage fasse de même. Rappelez-vous que la Balance aime les débats animés (c'est-à-dire qu'elle aime s'obstiner). Votre Balance chérie n'est pas insensible ; elle n'est qu'une Balance. Vous ressentez. La Balance pense.

Bien sûr, l'amant Balance est charmant. Il est aussi probablement beau. C'est le moyen que la nature a trouvé pour cacher le fait que toutes les Balances sont des avocats dans l'âme, quel que soit leur choix de carrière. Et que font les avocats ? Ils voient les deux côtés de toute médaille et déploient une égale conviction pour défendre chacun. Votre amant Balance ne fait pas exception. Lorsque vous dites « Oui », la Balance dit automatiquement « Non ».

Comment convaincre une Balance qui s'obstine ? La chose est compliquée. Vous ne pouvez même pas renoncer à discuter parce que la Balance reprendra la discussion à la première occasion. Il n'existe qu'une façon de composer avec une Balance qui s'obstine, et la voici :

Vous : Je suis désolé. Tu as raison.

Pendant que la Balance tentera de déterminer si vous êtes désolé d'avoir dit ce que vous avez dit ou si vous l'êtes de constater qu'elle a raison, tentez de rétablir votre équilibre mental.

Le patron Balance

Vous aimez travailler avec votre patron Balance. Comment faire autrement? Le climat est calme. Le patron Balance sait que des employés qui se sentent bien sont plus productifs. Si vous avez l'habitude de vivre dans l'atmosphère austère du patron Capricorne, la Balance n'a pas fini de vous surprendre.

Votre bureau est décoré avec goût, dans une apaisante palette de couleurs. La Balance vous incitera à prendre vos aises. Si vous croyez que la musique classique améliore votre productivité, la Balance aménagera un coin pour installer une chaîne stéréo portative. Si l'art vous inspire, la Balance s'empressera de demander qu'on accroche une reproduction d'une œuvre de votre artiste préféré.

L'atmosphère est également apaisante. Lors d'un conflit avec des collègues, votre patron est juste, pour ne pas dire sage. La Balance fait toujours preuve de logique et d'équité dans les histoires de bureau. Il ne faut donc pas s'étonner que les postes qui relèvent d'une Balance soient généralement les plus convoités. Les gens feraient n'importe quoi pour travailler sous les ordres de votre patron Balance. Ces postes présentent toutefois un inconvénient.

Vous jouissez d'un beau bureau, d'un environnement de travail agréable et d'un patron souriant et compréhensif qui ne se plaint jamais de vous. Ce qui ressemble le plus à une réprimande de votre patron ressemble à peu près à ceci: «J'ai jeté un coup d'œil sur l'état des résultats du service. J'espère que les revenus du prochain trimestre vont s'améliorer.»

«En effet», dites-vous.

Vous pensez aux revenus dans l'abstrait. La Balance songe particulièrement à votre chiffre d'affaires.

Si ce dernier ne s'améliore pas de 25 %, votre évaluation de rendement s'en ressentira. À supposer que vous ayez conservé votre place, bien sûr.

La principale difficulté de travailler pour un patron Balance est que vous ne savez jamais où vous en êtes. Vous marchez probablement toujours sur des œufs. Cette conversation sur les cibles de revenus était un avertissement.

Morale : Lisez entre les lignes que vous lance votre patron Balance, sans quoi vous vous retrouverez à lire des conseils pour rafraîchir votre curriculum vitæ.

Les patrons Balances sont des politiciens naturels et des gestionnaires téflon hors du commun. Quand les choses se gâtent, la Balance ne perd pas contenance. Si un problème survient au bureau, la Balance optera pour le compromis, ce qui, pour la plupart des autres signes du zodiaque, est une hérésie. C'est une faille astucieuse. Votre patron Balance excelle à faire des détours, et vient d'en prendre un. Malheureusement, vous ne l'avez pas suivi, alors ne lui reprochez rien.

Morale : Dans la vie professionnelle aux côtés d'une Balance, portez le chapeau. Vous pourrez toujours le lui rendre plus tard.

Les natifs de la Balance ont un charme indéniable, se conduisent bien, font preuve de bienveillance sans compter une collection d'autres attributs irritants. Surtout, la Balance est diplomate. Son sourire avenant et son charme sans pareil lui permettent d'obtenir tout ce qu'elle veut. Pour obtenir ce que vous voulez d'une Balance, ne haussez pas la voix et gardez un profil bas. Au jeu de la manipulation, la Balance est difficile à battre. Avez-vous l'impression d'avoir affaire à un franc-tireur déguisé en meneuse de claque ? Alors vous avez saisi.

CHAPITRE 10

Scorpion : crimes contre la chasteté

Soleil en Scorpion : 24 octobre au 22 novembre
Planète en domicile : Pluton

Services psychosexuels : J'incarne tous les péchés que vous commettrez. Je veux passer la nuit à vous analyser. Je fournis même la garde-robe en cuir. Je vous en mettrai tellement plein la vue que vous ne remarquerez pas les verrous sur les portes et les caméras vidéo dans la chambre. Prenez garde : je ne retiens personne prisonnier.

Notes de guérilla. Le Scorpion est passé maître dans la manipulation subtile mais constante, dans l'art de dire la vérité en laissant croire qu'il bluffe, et dans l'investigation discrète. Pour se protéger, il vous tient dans le noir. Pas seulement parce que l'obscurité vous empêche de le voir, mais parce qu'il vit dans l'obscurité. En fait, le Scorpion n'entre dans la lumière que pour le sexe. À bon entendeur... salut !

Ne fermez pas les yeux : un Scorpion veille

Un Scorpion mentira sur tout ce qui, à ses yeux, ne vous regarde pas. Par exemple, son nom, son sexe et son numéro de téléphone. Si vous deviez apprendre qu'une personne de votre entourage a menti sur sa date de naissance, vous saurez qu'il s'agit d'un Scorpion. Certains poussent ce mécanisme de protection à l'extrême. Prenez Andy Warhol. Seul un ignare du zodiaque aurait pu croire que Warhol était un Lion. Rien qu'à voir, on voit bien :

✳ Il portait du noir.

✳ Il a menti sur sa date de naissance.

✳ Il a réalisé des films troubles.

✳ Quelqu'un lui a tiré dessus.

Méfiez-vous du déguisement du Scorpion

Morale : Le Scorpion ne correspond jamais à ce qu'il laisse paraître en surface. Ou sous la surface. Jamais.

S'il lit le *Wall Street Journal* dans le train qui l'emmène au travail, il feuillette le *Mensuel de la Domination* avant d'aller au lit. S'il porte un bleu de travail et ses cheveux en brosse, il lit des vers de Rimbault chez lui et regarde la chaîne de télé publique. S'il récite des mantras et joue du tambourin pour les Krishnas, il défend activement l'abolition de la liberté d'expression. S'il vous ignore, c'est qu'il veut vous baiser.

Ainsi donc, vous souhaitez mettre un Scorpion à votre main. Ce n'est pas simple. C'est même risqué dans la mesure où le Scorpion est passé maître dans l'art de mettre les autres à sa main. Il est rusé depuis sa plus tendre enfance, si bien qu'il peut anticiper chacun de vos mouvements. Il y pense même avant vous. Au jeu de la manipulation, vous partez nettement perdant contre lui, et la défaite vous en coûtera. Si vous vous faites prendre, bien sûr. Et vous vous ferez prendre.

Imaginez : vous avez un faible pour la copine de votre ami Scorpion. Vous comptez l'inviter à sortir. Vous vous dites qu'au pire, elle déclinera votre invitation. Et c'est ce qu'elle fait. Fin de l'histoire.

Pas tout à fait. Le Scorpion a toujours pensé que vous lui en vouliez pour quelque chose. Il en a maintenant la certitude. Que se passera-t-il ? Ne le demandez pas. Tendez-lui une cravache, descendez votre caleçon et penchez-vous.

Comment repérer un Scorpion

Vous aimeriez passer du bon temps avec une native du Scorpion ? Encore vous faudra-t-il la reconnaître. Vous risquez probablement de la trouver :

✳ dans un bar ;

✳ sur une plage nudiste, en train d'évaluer la marchandise ;

✳ derrière le trône. (Cette ombre que vous apercevez derrière le président de l'entreprise ? C'est celle du Scorpion.)

Si l'alcool, les plages et les châteaux ne sont pas votre tasse de thé, vous pouvez aussi repérer des Scorpions partout où plane un mystère à éclaircir ou encore dans tout lieu où l'on peut s'abandonner à une quelconque déviance. Vous devrez toutefois déployer vos antennes. D'abord, recherchez quelqu'un au regard intense et envoûtant. Vous croyez y arriver sans difficulté ? Repérez le Scorpion parmi les possibilités ci-dessous.

✳ Une femme vêtue d'un maillot à paillettes et décolleté plongeant, assise au casse-croûte du coin.

✳ Un courtier en valeurs mobilières feuilletant un magazine de psychologie dans l'ascenseur.

✳ Une femme lisant un recueil de poésie sur le quai du métro.

Ce sont tous des Scorpions. Subtil. On vous avait prévenu.

Comment se défendre contre un Scorpion

Avant de tenter de gérer le maître, apprenez à vous défendre. Que votre Scorpion soit votre amant, votre patronne ou un ami, retenez une chose : la meilleure défense est la seule qui vaille. Voici quelques ruses fétiches du Scorpion :

Le fil invisible. Le Scorpion vous fera trébucher en vous amenant à ouvrir votre jeu. Il n'hésite pas à endosser un point de vue contraire à ses convictions pour voir si vous serez de son avis.

Un spécimen vêtu de façon conservatrice dira : « Les cyclistes qui roulent dans le sens contraire de la circulation méritent la prison. » Enfin, vous dites-vous, quelqu'un qui pense comme moi ! Vous en remettez et faites l'apologie de la voiture et du pétrole, n'hésitant pas à afficher votre climato-scepticisme. Sauf que le Scorpion ne semble pas partager votre enthousiasme. Pourquoi ?

Parce que c'est un environnementaliste pur jus. Membre à vie de Greenpeace, il vient de vous prendre en flagrant délit de conservatisme.

La fouille corporelle. Votre nouvelle amie de cœur a beau être le plus irrésistible Scorpion que vous ayez jamais vu, et votre nouveau collègue, assez gentil pour devenir le prochain pape, l'une et l'autre sont de sacrés cachottiers.

Tous les Scorpions sont des procureurs de la Couronne ou des agents du renseignement qui s'ignorent. Et chacun d'entre eux est passé maître dans l'art de la fouille corporelle. Lorsque vous rentrez tard, elle vous soupçonne d'avoir fait un détour chez votre ex. Si vous mentionnez son nom en parlant avec le patron, il vous soupçonne de manigancer pour avoir son poste. Quoi que vous ayez fait, ou qu'il croie que vous avez fait ou que vous songiez à faire, préparez-vous à subir un interrogatoire.

La dernière confession. « Veux-tu qu'on en parle ? » Cette voix caressante. Ce regard compréhensif.

Vous avez envie de vous confier ? Résistez.

Cette envie a poussé de nombreuses personnes à se confier à des Scorpions. Contre quoi vous feraient-ils chanter ? De l'argent ? Trop simple. Plus probablement des faveurs, comme un accès à des personnes influentes.

Le chantage n'est toutefois pas le seul motif qui pousse les natifs du Scorpion à solliciter vos confidences. Vos secrets sont une assurance contre d'autres méfaits de Scorpion. Une carte pour « sortir de prison » sans passer votre tour.

Certains Scorpions connaissent vos secrets et n'en font rien, ce qui est encore pire. À l'occasion, ils vous laisseront voir ce qu'ils gardent pour eux dans leur coffre-fort mental, pour le simple plaisir de vous tenir en alerte.

Les pièges à éviter avec le Scorpion

En présence d'un Scorpion, certaines imprudences sont à éviter.

Ne flattez pas un Scorpion. Ne tentez pas de l'acheter non plus. Vous êtes sceptique ? Allez-y, essayez.

Votre mari Scorpion refuse de saisir vos appels du pied pour lui suggérer de remplacer la voiture. Alors vous lui cuisinez son plat préféré et enfilez votre lingerie la plus coquine. Pendant le repas aux chandelles, vous lui dites : « Tu es vraiment un amour de mari. » Au petit matin, après une nuit on ne peut plus sportive, vous constatez que le garage est toujours vide. Votre lit aussi. Ne vous en faites pas. Votre Scorpion est à la cuisine en train d'ouvrir votre courrier sous la vapeur.

Morale : Flattez un Scorpion et il croira que vous complotez contre lui.

Ne racontez pas d'histoires à un Scorpion. Si vous êtes d'humeur baratineuse, partez faire la fête avec un Gémeaux. Avec un Scorpion, il vaut mieux rester soi-même, au risque de lui déplaire. Surtout si vous croyez que le Scorpion risque de ne pas aimer ce qu'il voit.

Scorpion : On va toujours au théâtre ce soir ?

La semaine dernière, vous aviez très envie d'y aller. Mais là, maintenant, vous ne voulez qu'une chose : rester chez vous à regarder pousser vos ongles. Or, vous ne voulez pas froisser le Scorpion. Alors que devriez-vous dire ?

Vous : J'avais très envie d'y aller la semaine dernière, mais là, maintenant, je ne veux qu'une chose : rester chez moi à regarder pousser mes ongles.

Morale : Le Scorpion est né avec un détecteur de foutaises intégré, alors ne jouez pas au fin finaud.

Ne dites pas au Scorpion que l'astrologie est votre arme secrète. Le Scorpion présume que l'astrologie a été inventée pour permettre à son entourage de lui ravir son pouvoir et de violer sa vie privée. Et même s'il n'y croit pas, l'idée que vous puissiez recourir à l'astrologie pour apprendre à le gérer le rendra nerveux. Un Scorpion nerveux est un Scorpion dangereux. Exercez-vous à bien répondre à la question suivante :

Scorpion : Mettons une personne née en novembre. Quel est son signe ?

Vous : Euh… Vierge ?

Liaisons dangereuses : l'amant Scorpion

Que peut-on attendre d'une relation amoureuse avec un Scorpion ? Du sexe. Beaucoup de sexe. Mais prenez garde. Le Scorpion a fait de la sexualité l'arme ultime.

Vous pouvez aussi vous attendre à gagner du pouvoir. Dans votre carrière, en politique, autour de la maison, partout où s'agitent les huit petites pattes du Scorpion. Ce dernier détient le pouvoir, et si vous êtes dans ses bonnes grâces, il le partagera avec vous à condition de vous dominer totalement. Le docteur Faust, ça vous rappelle quelque chose ?

Comment charmer l'amant Scorpion

Le pouvoir et le mystère sont des aphrodisiaques universels pour les Scorpions. Pour en attirer un ou une, veillez à avoir les deux. Déployez l'un et l'autre avec doigté, cependant. Ce qui impressionne les autres signes risque fort d'irriter un Scorpion.

Les sources d'irritation du Scorpion

Les poseurs. Le Scorpion déteste les faux-nez. Après tout, si vous êtes faux, vous cachez forcément quelque chose. Le Scorpion se méfie des accessoires électroniques associés au pouvoir, comme le téléphone intelligent, qu'il trouve d'ailleurs ennuyeux. Laissez donc vos joujoux à la maison.

L'indiscrétion. La vie privée est la religion du Scorpion. Tâchez de vous en souvenir la prochaine fois que vous aurez envie de lire ses messages textes, de tendre l'oreille pendant qu'elle parle au téléphone ou de regarder sous son lit.

Vous l'aurez deviné, le Scorpion déteste les foules. Intimité et foule ne font pas bon ménage. Si vous voyez votre dulcinée Scorpion au milieu d'une foule, vous savez qu'elle est en route vers un refuge isolé, voire intime. Cela pose problème aux prétendants Lions, pour qui les endroits intimes le sont trop pour accommoder leur entourage. Vous êtes un Lion ? Offrez des vacances à votre entourage.

La frivolité. Les Scorpions détestent les surprises. C'est qu'ils ne peuvent contrôler l'imprévisible. Devant une personne frivole ou imprévisible, le Scorpion fuit à toutes jambes.

Si vous êtes un Verseau type, faites-vous passer pour un Taureau.

Comprendre le Scorpion que vous aurez épinglé
Ne sautez jamais la clôture. Et pourquoi le feriez-vous ? Qu'est-ce qui vous pousserait à flirter avec l'exploration charnelle ? Vous en avez assez des orgasmes multiples. Ou peut-être êtes-vous lasse de ne jamais être au-dessus ? Allez-y, expérimentez. Veillez toutefois à choisir un bon amant, car ce pourrait être votre dernier.

Entretenez le mystère. Difficile de garder des secrets avec un Sherlock à la maison, mais essayez tout de même. S'il croit avoir percé tous vos secrets, le Scorpion s'ennuiera. Au besoin, inventez-en pour le tenir en alerte. Pourquoi ne pas mettre votre carnet d'adresses sous clé. Vous pourrez ensuite observer votre Scorpion se transformer en perceur amateur de coffres-forts.

Proposez des jeux sexuels. La routine s'installe ? Essayez ceci.

Vous (*téléphonant à votre amie Scorpion au travail*) : Rejoins-moi à l'Hôtel Chelsea dans deux heures. Apporte la boîte format économique de condoms, du ruban isolant et la caméra vidéo.

N'abusez pas de ce procédé, sans quoi vous vous retrouverez menotté à un Scorpion chômeur.

Le patron Scorpion

On veut la tête de votre patron Scorpion. Vous en doutez ? Votre patron n'est pas de cet avis. Il le sait. La nuit, il en rêve. Le jour, il bidouille l'antenne qui l'avertit de l'existence de complots au bureau et de la moindre intrigue.

Imaginez qu'il entre dans la salle des photocopieurs alors qu'un groupe d'employés bavardent. À son arrivée, tout le monde se tait. Ne vous donnez pas la peine d'expliquer que vous vous êtes tus au beau milieu d'une histoire salée parce que vous ne teniez pas à ce qu'il vous entende tenir de tels propos. Vous parliez de lui, et il le sait.

Si votre patronne Scorpion s'arrête devant le miroir, ce n'est pas pour vérifier si son ourlet tient le coup, mais pour avertir ceux qui parlent dans son dos qu'elle n'est pas dupe, et pour compter les couteaux qu'ils s'apprêtent peut-être à lui lancer.

Le mot à retenir pour le Scorpion est « contrôle ». Votre patron Scorpion vous contrôle à tous points de vue : corps, âme, compte bancaire. Vous devriez faire de même : votre patron déteste les geignards et ceux qui grillent des plombs en public. Devant un Scorpion démoralisé en public, dites-vous que vous avez affaire à quelqu'un qui fait semblant d'être un Scorpion.

Avec une patronne Scorpion, vous vous retrouvez coincé entre l'arbre et l'écorce. Si vous ne faites pas bien votre travail, elle vous jugera nul. Si vous le faites trop bien, elle croira que vous voulez sa place. Ne contestez jamais son autorité tant et aussi longtemps que vous relevez d'elle. Et ne songez même pas à manœuvrer pour l'amener à vous accorder une augmentation de salaire. Un jour, vous vous retrouvez promu à un autre poste ou à la porte.

Ne parlez pas de votre patronne en son absence. Ne parlez pas à son patron. Ne révélez rien de ses projets à quiconque. Elle le saura. Ses espions sont partout.

Le patron Scorpion veut savoir tout ce qui passe au bureau, de la marque de savon que l'équipe d'entretien ménager utilise au montant que vous n'avez pas déclaré à l'impôt. Il n'aime cependant pas le potinage. Vous aimeriez faire partie de ses espions ?

Supposons que vous rentrez d'un lunch arrosé de martini et de ragots.

Scorpion : C'était bien ce lunch ? Comment va Georges ? (Georges est votre collègue et relève aussi de votre patron.)

Vous : Il va bien. Le contraire serait étonnant considérant qu'il a été invité à la résidence de campagne du vice-président (un honneur que n'a jamais eu votre patron).

Scorpion : Ah oui ?

Vous : Ouep, la fin de semaine prochaine. Remarque, je ne suis pas censé en parler. Tu crois qu'il se mijote quelque chose ?

Scorpion (*un sourire sinistre aux lèvres*) **:** Bon, et si on regardait ce rapport de ventes ?

Vous (*intérieurement*) **:** Georges est cuit.

Erreur, *vous* êtes cuit.

Morale : Évitez de colporter des ragots. Le Scorpion est équipé d'un radar que même les dauphins lui envient. À moins qu'il ne vous le demande, il n'a pas besoin du vôtre.

Par ailleurs, vous venez d'éventer le secret d'un autre. Le Scorpion sait maintenant que vous n'êtes pas digne de confiance.

Morale : Soyez loyal, sans quoi le Scorpion fera ce qui l'a rendu célèbre : il vous le revaudra.

Dans l'astrologie, les Scorpions sont des personnes déterminées et sans pitié. Mais vous n'en croyez rien : votre patron Scorpion est si calme, si équilibré, si décontracté. Il n'y a rien chez lui d'explosif ou de troublant. Vous êtes allé chez lui. Vous n'y avez pas vu de missel pour messes noires ni de cercueil qui lui tiendrait lieu de lit après une longue nuit.

Vous vous sentez effronté, alors vous le bousculez. Vous faites une chose qu'il ne faut jamais faire à un Scorpion : vous révélez ses secrets.

Voici ce qui se produira, plutôt tôt que tard :

Vous (*intérieurement*) : Je viens de parler avec une secrétaire du premier mariage raté de Steve (votre patron), mariage dont personne n'a entendu parler. Et Steve n'a rien dit.

Soulagé, vous vous dites qu'il doit être natif du Poissons finalement. À moins qu'il soit un Sagittaire qui a tout oublié de son premier mariage ? Vous savez que vous avez commis une faute impardonnable. Alors que fait votre patron Steve ?

Il vous pardonne.

Innocent comme vous l'êtes, vous respirez mieux. Un mois passe, puis six mois, puis un an. Puis un jour, vous vous retrouvez dans l'une ou plusieurs des situations suivantes :

✳ On vous refuse une promotion qui était faite sur mesure pour vous.

✳ Pris d'une furieuse envie, vous tentez sans succès d'ouvrir la porte des toilettes réservées à la direction, avec une clé qui ne fonctionne plus.

✳ Vous n'arrivez plus à joindre Steve parce qu'il est en réunion, occupé sur une autre ligne, loin de son bureau ou... vous voyez le genre.

Vous (*intérieurement, comme d'habitude puisque plus personne ne vous adresse la parole au bureau*) : Je ne comprends pas. Pourquoi diable Steve agit-il ainsi ? Pour qui se prend-il ?

Lâchez le discours intérieur et branchez-vous sur les sites de recherche d'emploi. Il vous en faudra un bientôt.

Et pendant que vous y êtes, consultez l'horoscope.

Un Scorpion, lorsque vous en rencontrez un, ressemble à tout le monde. Il ne faut donc pas vous étonner de le trouver plus sexy que sinistre. Après cette rencontre, vous quittez le bureau en direction du casse-croûte du coin avec l'intention d'en ressortir avec le repas du soir. Or, vous vous retrouvez plutôt chez La Vie en Rose en train d'acheter des dessous de dentelle noire. Plus tard, alors que vous devriez plancher sur votre compte-rendu budgétaire pour le travail, vous fantasmez sur d'éventuelles retrouvailles avec un ancien amant. Les psychologues vous diraient que vous faites une fixation malsaine sur le sexe. Les astrologues parlent plutôt d'une rencontre avec un Scorpion. Ne vous étonnez pas si vous êtes tenté de commettre des crimes contre la chasteté.

CHAPITRE 11

Sagittaire : l'archer parieur

Soleil en Sagittaire : 23 novembre au 21 décembre
Planète en domicile : Jupiter

Compagnon de voyage recherché : Avis aux compagnons indépendants et philosophes. Je vous emmènerai à Monte-Carlo, mais vous devrez financer le voyage jusqu'à ce que j'aie remporté un magot. Vous m'aimerez. Je suis malin et direct, mais de grâce, ne me répondez pas par l'une de ces stupides cartes postales préimprimées dont les Vierges ont le secret. J'aime les Vierges et tout, mais quand même. Vos réponses me seront transférées où que je sois.

S i un Sagittaire a atterri dans votre vie, préparez-vous à voyager souvent. Renouvelez votre passeport, vérifiez le prix des stationnements de longue durée à l'aéroport et apprenez à communiquer à distance. Non seulement vous invitera-t-on à visiter des lieux exotiques, mais votre esprit voyagera sur les ailes de la franchise, de l'optimisme et de la chance.

Les Sagittaires sont de formidables compagnons de voyage. Nul ne peut mieux qu'un Archer vous faire visiter les sommets de la franchise et de la bonne humeur et vous ramener à bon port indemne.

La franchise, l'optimisme et la bonne fortune des Sagittaires sont légendaires. Au moins autant que leur franc-parler, ce qui signifie que ce ne sont pas des manipulateurs. Aussi ne percevront-ils pas vos tentatives pour les manipuler. Vous en avez de la chance !

Morale : Ne cherchez pas un sens caché dans les paroles du Sagittaire. L'Archer est entier ou n'est pas. Chercher un autre sens à ce qu'il a dit, c'est gaspiller une énergie que vous pourriez consacrer à démêler un imbroglio avec un Poissons ou un Scorpion, chez qui les manœuvres psychologiques occupent tout l'espace du disque cérébral.

L'arme secrète du Sagittaire

Avant de manipuler un Sagittaire, prenez conscience de son arme secrète : la gentillesse. Tout le monde aime les Sagittaires. Le moyen de faire autrement ? Le Sagittaire est agréable à côtoyer et à aimer. Il vous fera voir le côté positif de la vie, que vous le vouliez ou non.

Ayez conscience que le Sagittaire utilise cet attrait qu'il exerce pour se rapprocher de vous et vous garder près de lui, même dans les circonstances les plus désastreuses. Voici quelques-uns de ses stratagèmes.

L'optimisme

À l'origine de la vague des ouvrages inspirants et des séminaires de pensée positive se trouve sûrement un Sagittaire. L'Archer est sans égal au rayon de la confiance aveugle et de l'optimisme.

Quand tout le monde vous dit que vous n'obtiendrez pas cette promotion, que vous ne vous qualifierez pas pour l'hypothèque, que vous ne trouverez jamais un amoureux à la fois ambitieux et capable de faire la cuisine, le Sagittaire, lui, vous dit : « Ça viendra. » Pas étonnant qu'on aime tant le fréquenter.

Morale : Impossible d'être morose, déprimé, réaliste ou pratique auprès d'un Sagittaire. C'est son arme la plus puissante, et nul ne peut s'en défendre.

La bonne humeur

Si les blagues, la philosophie ou les histoires de chance incroyable d'une native du Sagittaire ne viennent pas à bout de votre morosité, elle vous entraînera dans un bar où elle a ses entrées.

Le Sagittaire est le seul signe qui aime raconter des histoires de chance. Le Capricorne, par exemple, en est incapable, lui qui rumine régulièrement des idées noires. Le Sagittaire y voit une perte d'énergie et préfère sortir s'amuser.

Le Sagittaire est l'illustration par le zodiaque du bon côté des choses : à quelque chose malheur est bon. Il ne fait jamais plus noir qu'avant l'aurore. On peut toujours trouver une autre compagnie de crédit, et divorcer trois fois n'est vraiment pas la fin du monde.

Vous toléreriez beaucoup de choses pour fréquenter un Sagittaire. Vous seriez fou de ne pas le faire.

Un seul problème, par contre. Vous aimeriez vous retrouver seul à seul avec le Sagittaire. Mais l'Archer est toujours très, très entouré : son agent, sa productrice, son preneur de paris, son agent de recouvrement et ses nombreux admirateurs souhaitent autant que vous le voir seul à seul.

Morale : Oubliez l'exclusivité. Vous ne l'obtiendrez jamais.

Comment repérer et rouler un Sagittaire

Les natifs du Sagittaire sont trop grégaires pour que vous ne les remarquiez pas sur-le-champ. Lorsqu'ils ne sont pas occupés à ensoleiller la vie des gens dans les aéroports et les bateaux de croisière, les Sagittaires se trouvent :

✳ à Las Vegas, à Monte-Carlo ou dans toute autre ville où abondent les casinos ;

✳ à la banque, en train de convertir des dollars en pesos, en livres sterling ou en euros ;

✳ à la banque, occupés à convaincre le directeur du crédit de leur accorder un mois de sursis.

Tous ces voyages et cette expérience de vie font du Sagittaire une personne cultivée, philosophe et à découvert. Son approche de la vie n'a rien d'intellectuel. Le Sagittaire apprend par l'expérience et souhaite par conséquent en vivre un maximum.

Le Sagittaire considère qu'il est normal, pour percer les mystères de la vie, d'aller où bon lui semble, chaque fois que son cœur l'y pousse. Vous y voyez peut-être un manque indu de disponibilité et une répugnance à s'engager dans quoi que ce soit de plus contraignant qu'un siège en classe économique.

Vous devrez donc trouver un moyen d'amener votre Sagittaire à vivre dans la réalité, à tout le moins dans la vôtre.

Comment entraîner un Sagittaire vers la réalité

Vous devrez surmonter quelques obstacles avant d'amener le Sagittaire à faire ce que vous voulez. Le premier problème qui vous attend a trait au fait que le Sagittaire trouve les menus détails du quotidien ennuyeux. La meilleure façon de manipuler le vôtre, qu'il s'agisse d'une amie, de votre compagnon de vie ou de votre employeur, est de l'amener à penser que la vraie vie est aussi excitante qu'un voyage. Par exemple, donnez à la corvée des courses un parfum de voyage :

✳ Amenez le Sagittaire à voir l'épicerie comme un voyage en lui faisant acheter des aliments exotiques.

✳ Donnez-lui envie de s'occuper du linge sale en lui demandant de déposer vos habits chez le nettoyeur qui se trouve sur la route de l'aéroport.

✳ Comblez son besoin de liberté de mouvement en lui suggérant de vous envoyer par courriel le budget du prochain trimestre.

Le côté philosophe du Sagittaire constitue le deuxième obstacle qui l'empêche de participer à sa propre vie. Sa philosophie planétaire le distrait des détails terre à terre. C'est un trait qui nuit à l'atteinte d'un mode de vie sans tracas. Le vôtre.

Vous devez prendre conscience de la conception qu'a le Sagittaire de toute chose pour pouvoir le ramener sur le plancher des vaches et le mettre à votre main.

La vie selon le Sagittaire. Il y a toujours une morale à l'histoire, une leçon à apprendre et une autre en réserve. N'allez jamais croire que vous êtes indispensable.

La religion selon le Sagittaire. Ce signe est connu pour son côté spirituel, mais cet aspect de sa personnalité s'exprime de mystérieuse façon. Oui, l'Archer a trouvé toutes les réponses et percé les mystères des religions, des plus orthodoxes aux plus obscures. Cependant la véritable religion du Sagittaire est le partage de l'information, et il n'aime rien tant que de répandre la bonne nouvelle auprès des pécheurs qui fréquentent les casinos et bars de danse exotique.

La sélection naturelle selon le Sagittaire. Sur le plan sexuel, la sélection naturelle est l'une des philosophies que chérit le Sagittaire. Autrement dit, s'il rencontre quelqu'un, naturellement, cette personne sera sélectionnée.

Prenez garde à la franchise du Sagittaire

Malgré son insouciance, la Sagittaire est une personne à ne pas sous-estimer. La franchise est son arme la plus redoutable, aussi évitez de l'y encourager.

La Sagittaire n'arnaque personne. Si elle veut plus de temps, plus de financement provisoire, plus de chances, elle n'essaiera jamais de vous mener en bateau. Elle vous le demandera franchement. Mais ne la suivez pas. Vous pourriez obtenir plus de franchise que ce à quoi vous vous attendiez.

Morale : Ne demandez jamais à un Sagittaire de dire la vérité à moins d'être prêt à l'entendre.

Prenez garde à la sincérité du Sagittaire

Vous passez la journée à la plage avec une Sagittaire et paradez fièrement dans le nouvel ensemble de croisière que vous avez acheté avec l'argent qui aurait dû servir à payer votre compte de cellulaire.

Vous (*à votre amie Sagittaire, en vous pavanant dans votre nouveau maillot*) **:** Alors, comment me trouves-tu ?

Vous savourez les compliments quand vous vous apercevez tout à coup que ce n'en sont pas vraiment. En fait, la Sagittaire essaie d'expliquer ce qu'elle voulait dire lorsqu'elle a dit que vous étiez grosse.

Sagittaire : Ce que je veux dire, c'est que je trouve formidables les gens qui sont individualistes. Pas aussi individualiste que mon ex, mais quelqu'un qui ne se contente pas de faire comme tout le monde, quelqu'un qui a du cran. Écoute, je vois à quel point tu es brave de sortir en maillot de bain. C'est un compliment que je te fais.

Morale : Ne sollicitez pas l'opinion d'une Sagittaire à moins d'être prêt à l'entendre.

Prenez garde à l'indiscrétion du Sagittaire

Naturellement, étant à ce point direct et terre à terre, le Sagittaire n'a pas une idée très précise de ce qu'il vaut mieux garder pour soi et de ce qui mérite d'être partagé. Ne prenez donc pas de risque et ne lui confiez pas de secrets, bien que vous puissiez avoir envie de le faire, particulièrement lorsque vous êtes triste ou stressé.

Disons que votre couple traverse une crise. Votre ami Sagittaire remarque votre humeur morose et souhaite vous remonter le moral. Il vous invite à sortir prendre un verre.

Sagittaire : Tu as la tête de celui qui a perdu son meilleur ami ou quelque chose du genre. (Le Sagittaire songe à ses nombreux amis et décide qu'il peut bien les partager avec vous.)

Or, c'est de votre malheur qu'il s'agit et vous préférez le garder pour vous. Vous devenez cependant moins prudent lorsque le Sagittaire commande une quatrième tournée de manhattans.

Vous : J'ai l'impression d'être en train de perdre ma meilleure amie. Mon couple ne va pas bien.

Sagittaire (*consterné devant votre malheur*) **:** Ne sois pas triste ; ce n'est pas une grande perte. Enfin, tout le monde sait que ta future ex n'a jamais cessé de coucher à gauche et à droite au cas où ça ne marcherait pas entre vous.

Voyant que votre mâchoire vient de toucher la table, le Sagittaire s'empresse de vous rassurer.

Sagittaire : Jamais avec *moi.* J'ai juste entendu dire que je devais être le seul. Eh, ne t'en fais pas. J'ai été marié trois fois et je ne me souviens même pas du nom de mes ex. Barman ! Une autre tournée, mon ami en a besoin. Enfin, t'en souviendrais-tu si ton couple avait sombré ?

Vous vous êtes souvenu trop tard.

Morale : Si vous souhaitez que votre vie privée le reste, ne faites pas de confidences au Sagittaire.

Prenez garde au compliment équivoque

Vous êtes d'humeur sombre. Vous avez manqué votre correspondance à cause d'une grève des pilotes. L'Archer décide de vous dérider et d'ensoleiller votre journée. Un peu de gaieté et des compliments sincères ne peuvent que vous faire du bien. L'arsenal du Sagittaire comprend les deux.

Après vous avoir requinqué en vous disant que vous étiez un voyageur raffiné, votre collègue de travail tente d'expliquer ce qu'il entendait lorsqu'il a dit que vous étiez stupide :

Sagittaire : Je veux dire, je comprends pourquoi tu ne peux pas situer la Lettonie en Europe, avec tout ce temps que tu perds à mémoriser les États américains en ordre alphabétique. C'est amusant de voir que tu y arrives, mais tu devrais passer plus de temps devant un globe terrestre… ou au moins devant le miroir : qu'est-il arrivé à tes cheveux ? C'est super de voir que tu n'es pas obsédé par l'image que tu…

Morale : N'espérez pas qu'un compliment d'un Sagittaire vous remonte le moral.

L'amoureux Sagittaire : un grand voyageur

L'avenir s'annonce toujours beau avec un amoureux Sagittaire, si vous recherchez le plaisir, les conversations stimulantes et les factures de téléphone dans les trois chiffres. Vos perspectives d'avenir sont moins bonnes si vous espérez ouvrir avec lui un compte-conjoint.

Morale : Si vous êtes en quête d'une relation à long terme, préférez un autre signe.

Et tant pis pour la monogamie : chez le Sagittaire, l'envie de découvrir le monde s'applique aussi à sa vie amoureuse. Mais gardez le moral. Le Sagittaire vagabonde, et après ? Il reviendra. La variété, finalement, peut devenir aussi ennuyeuse que le reste.

Comment séduire un Sagittaire

Soyez fier de vous si vous avez réussi à attirer un Sagittaire. C'est signe que vous êtes beau, que vous êtes intelligent, que vous êtes malin. Le Sagittaire aime la découverte au sens large, ce qui signifie qu'il aime les nouveaux environnements et les nouveaux visages. C'est une bonne chose pour vous parce que vous n'aurez pas de mal à l'attirer. La suite des choses est plus ingrate, toutefois, parce que le Sagittaire, justement, aime les nouveaux environnements et les nouveaux visages et qu'il est si facile de l'attirer. Vous êtes en couple avec un Sagittaire? Voici comment obtenir de lui ce que vous voulez.

Dites la vérité. Soyez toujours franc avec un Sagittaire. C'est un ardent disciple de la vérité. À tel point qu'il se sent obligé de la partager avec tout le monde, quelles que soient les conséquences et quoi que dictent le bon sens et les bonnes manières.

Morale: Si la vérité vous met mal à l'aise, fréquentez un autre signe.

Soyez généreux. Le Sagittaire, étant lui-même généreux, ne comprend pas le concept de pingrerie. Si vous ne dégainez jamais votre chéquier ou votre carte de crédit, le Sagittaire ira tenter sa chance ailleurs.

Le Sagittaire est un optimiste. Il est riche, même lorsqu'il vacille entre deux extrêmes financiers. Il aime partager avec ses nombreux amis, ses connaissances et des gens qu'il n'a encore jamais rencontrés.

Morale: Le Sagittaire est généreux, peu importe qu'il ait gagné le gros lot ou qu'il sorte tout juste d'une mauvaise passe financière.

Comment entretenir la flamme du Sagittaire amoureux

Un amant Sagittaire aura du plaisir en votre compagnie tant et aussi longtemps que c'est tout ce que vous voulez.

Le Sagittaire est suffisamment optimiste pour s'engager… temporairement. Il faut toutefois manquer de réalisme pour s'attendre à ce qu'un Sagittaire s'installe dans une vie de cuisine maison et de sexe un jeudi sur deux.

Voyagez affectivement léger. Voyez cette relation comme un voyage. Imaginez que vous visitez New York. Le Sagittaire n'a jamais de bagages à faire enregistrer et vous trouverait bizarre si vous transportiez deux valises. Vous seriez sans doute capable de tout transporter dans un bagage à main? Alors faites de même avec votre bagage affectif et placez-le sur le premier vol vers la Birmanie.

Morale: La meilleure façon de garder un Sagittaire dans votre vie est de garder vos distances affectives et de l'encourager à faire de même.

Les pièges à éviter avec un Sagittaire

Le Sagittaire n'est pas rancunier. C'est l'un de ses traits les plus charmants. Peu de choses risquent de le froisser longtemps.

Cette relation ne comporte donc qu'un piège. Et c'est mieux pour vous.

Ne prenez pas une séance de baise pour ce qu'elle n'est pas.

Vous et votre Sagittaire préférée avez passé des vacances ensemble, et vous vous apprêtez à retourner sous vos latitudes respectives. Dans quelques minutes, vous prendrez votre avion. Votre Sagittaire fera de même, mais dans un autre appareil. Vous l'accompagnez jusqu'à sa porte d'embarquement.

Vous: Je pourrais prendre un autre vol. Qu'en penses-tu? (Vous voulez dire que vous aimeriez prolonger votre escapade de quelques jours.)

Votre Sagittaire comprend plutôt: « Et si on s'installait en ménage? »

Elle plonge son regard amoureux dans le vôtre… et vous entraîne aux toilettes. Avant que vous ayez eu le temps de lire la liste des lois que vous enfreignez si vous désactivez le détecteur de fumée, la Sagittaire a détaché votre pantalon.

Vous (*en vous parlant, encore ému par le souvenir de votre au revoir*) : Bien sûr qu'on est un couple. Elle exprime toujours les choses de cette façon.

Ne dégagez pas d'espace pour elle dans votre garde-robe et n'annulez pas vos projets de la fin de semaine prochaine. Réfléchissez. Où êtes-vous ? À l'aéroport, sur le point de prendre un vol qui vous ramène à la maison. Où est votre Sagittaire préférée ? Sur le point de prendre un autre vol, en route vers une autre destination.

Vous croyez toujours que votre engagement est scellé par l'empreinte du bouton d'appel d'urgence sur vos fesses ? Ça, c'est de l'optimisme.

Le patron Sagittaire

Les patrons Sagittaires ont tous le même problème. Ils ne sont jamais là. Si elle est native du Sagittaire, votre patronne est aussi peu disponible que votre ami ou votre amant Sagittaire. Vous en êtes moins frustré, toutefois, puisque votre sensibilité affective n'est pas en jeu, contrairement à votre équilibre mental professionnel.

Prenez la chose avec philosophie. Vous aimez travailler pour elle précisément parce qu'elle n'est jamais là. L'atmosphère au bureau est informelle. Lorsque survient un problème, vous pouvez lui en parler directement (dès son retour au bureau).

Non seulement écoutera-t-elle vos doléances, mais elle trouvera en plus une solution ingénieuse à vos difficultés. Elle ne se sent pas en concurrence avec vous et ne croit pas constamment que vous tentez de prendre sa place. En plus, elle n'a aucun mal à déléguer. Et bien sûr, elle vous fait confiance.

Votre patronne vous accorde une bonne allocation de dépense et n'ergote pas sur chaque dollar réclamé. Vous n'avez qu'à arrondir à la centaine la plus proche et à envoyer le tout à la comptabilité, où des Vierges s'en occuperont.

Vous n'avez pas à rendre compte de ce que vous faites tous les quarts d'heure. Le Sagittaire sait bien que toutes les heures ne sont pas facturables. Elle comprendra que vous preniez un jour ou deux pour vous remettre du décalage horaire et n'amputera pas votre chèque de paie parce que votre vol a été retardé. La patronne Sagittaire sait aussi que le travail ne se fait pas qu'au bureau, de 9 h à 17 h. Il se fait aussi sur les terrains de golf, au théâtre et dans les congrès. Et si vous voulez une augmentation de salaire, vous n'avez qu'à la demander.

C'est exactement ce que vous avez décidé de faire. Vous êtes préparé. Le Sagittaire ne l'est pas.

Vous : Je travaille ici depuis un an maintenant, et mes évaluations de rendement ont été bonnes…

Sagittaire : Tu as raison. Tu mérites une augmentation. Combien veux-tu… (*Le téléphone sonne.*) C'est l'appel que j'attends de Francfort. On s'en reparle plus tard.

Vous êtes ravi et vous commencez à planifier des vacances pour célébrer. Le lendemain, vous vous rendez au bureau du Sagittaire pour reprendre la conversation. Votre patronne applique la politique de la porte ouverte, mais elle n'est pas dans son bureau.

En fait, elle est à Francfort. Ou aux îles Caïmans. Non, c'était avant-hier. Aujourd'hui, elle est dans le Kentucky en train de conclure un contrat qui – ça tombe bien – se boucle le jour du Derby.

Pendant ce temps, le téléphone sonne. Le cellulaire vibre. La boîte de réception se remplit. Votre Sagittaire vous a laissé la responsabilité du bureau. Alors, voyez-y.

Morale: Pour bien fonctionner dans votre travail, apprenez à être autonome.

Apprenez à communiquer à distance

Ce n'est pas parce que votre patronne est à l'extérieur du bureau qu'elle ne désire pas savoir ce qui s'y passe. Consultez votre boîte vocale et vos courriels pour connaître les plus récentes instructions et demandes de mise à jour.

Occupez-vous des questions d'argent

Laissée à elle-même, la patronne Sagittaire doterait son service d'une marge de crédit capable de compromettre la Banque du Canada et de faire mourir prématurément les Vierges de la comptabilité. Apprenez à jongler avec les chiffres. Au besoin, suivez un cours d'appoint sur la planification budgétaire.

Travaillez loin du bureau

Puisque votre patron Sagittaire le fait, il n'y trouvera sûrement rien à redire.

Souciez-vous des détails

Votre patron Sagittaire ne le fait pas. Il se concentre sur des choses plus importantes, comme obtenir un délai supplémentaire pour remettre sa déclaration de revenus. Ce qui lui permettra de mettre un peu plus de flou sur les détails. Occupez-vous des tâches ennuyeuses comme la planification des réunions, la gestion de la paperasserie et le réapprovisionnement des fournitures de bureau.

Assurez la conversation

Le patron Sagittaire est un grand communicateur, mais il peut malheureusement se montrer aussi malhabile en matière de tact que vos amis du même signe. Pour faire bien paraître votre patronne et lui rappeler cette conversation inachevée à propos de votre augmentation de salaire, agissez comme interprète. Autrement, le Sagittaire est capable d'oublier le nom de son propre patron. N'a-t-il pas déjà oublié le vôtre ?

Sagittaire : Alors, Philippe, qu'en penses-tu ?

Vous : Je m'appelle Denis.

Sagittaire : C'est vrai. Crois-tu que les Massaïs du Kenya devraient abandonner les esprits de leurs ancêtres pour devenir guides de safari à l'intention de riches voyageurs blasés ? Hein Philippe ?

Vous : Denis.

Sagittaire : C'est ce que j'ai dit. Alors, qu'en penses-tu ? Je peux t'appeler Phil ?

Vous finissez par renoncer. Certaines choses importent plus que l'utilisation du bon prénom ; par exemple votre prochain intitulé de poste.

Vous : Non. Philippe.

Le Sagittaire est un ambitieux et un infatigable optimiste. C'est aussi un joueur. Il parie notamment sur votre bonne volonté durant ses élucubrations. Le Sagittaire a l'habitude d'être pardonné pour son manque de tact. Pourquoi ne pas le prendre par surprise en gardant votre pardon pour vous ?

CHAPITRE 12

Capricorne : Ennemi des modes

Soleil en Capricorne : 22 décembre au 20 janvier
Planète en domicile : Saturne

Je suis arrivé. Et vous ? J'ai franchi le sommet et maintenant que j'y suis, je trouve la vue impressionnante, bien que l'air soit raréfié. Veuillez m'écrire si vous avez un profil de dirigeant ou d'entrepreneur, si vous êtes bien fait, autonome, responsable et cultivé. Vous devez connaître le répertoire opératique et ne jamais confondre Don Giovanni et Da Giovanni.

La vie est une entreprise, et une entreprise ne saurait réussir sans des manœuvres efficaces de manipulation. Pour le Capricorne, elles font partie du monde civilisé, mais impitoyable, du commerce. Vous êtes l'adversaire. C'est une guerre sans effusion de sang visible, une stratégie sans chaleur affective. Ne vous inquiétez pas des conséquences s'il découvre que vous avez triché. Ça fait partie du jeu. Les règles du Capricorne en affaires – et donc dans la vie – sont les suivantes :

Vous apprenez d'abord à connaître votre adversaire.

Ensuite vous le respectez.

Puis vous l'éliminez.

Morale : Apprenez les tactiques du Capricorne. Battez-le à son propre jeu. Et ne craignez pas de perdre. Si vous livrez une bonne bataille, le Bouc vous laissera la vie sauve. Puis il vous fera une offre d'emploi.

Comment vous défendre contre le Capricorne

Le Bouc dispose de plusieurs armes. Lorsque vous le manipulez, soyez au fait de son arsenal. Vous pourrez ainsi mieux vous défendre, mais surtout, vous pourrez utiliser ses armes contre lui.

L'artillerie du Capricorne comprend la patience et l'élément de surprise. Il a aussi une connaissance impitoyable de ses propres motivations et connaît en tout temps le solde de ses avoirs de même que le nombre de zéros manquants pour qu'il atteigne le milliard. Soyez à l'affût et au courant des autres stratagèmes du Capricorne.

Méfiez-vous des services que vous rend le Capricorne

Tout ce qu'on vous a dit au sujet de l'égocentrisme du Capricorne est faux. Les Capricornes prennent leurs collègues en voiture pour aller travailler ; ils ramassent l'addition dans des restaurants quatre étoiles et prêtent leurs accessoires de cuisine, comme des brochettes, à leurs voisins. Les Capricornes ne se contentent pas de partager ; ils sont heureux de rendre service. En fait, les grands services ont leur préférence. Ils garantissent les plus grands retours d'ascenseur.

Morale : Si un Capricorne vous rend service, retournez-lui l'ascenseur.

Méfiez-vous de l'offre publique d'achat hostile civilisée

Une offre publique d'achat hostile est une manœuvre par laquelle une société puissante prend le contrôle d'une société vulnérable, contre le gré des dirigeants de celle-ci. Ce n'est pas le style qu'affectionne le Capricorne. Une prise de contrôle, oui, mais pas hostile ; si ce l'était, ce ne serait pas civilisé.

Le Capricorne est toujours digne ; il l'est encore plus lorsqu'il fait une manœuvre sournoise. Qu'est-ce qu'un Capricorne pourrait bien vouloir accaparer ? Ce pourrait être votre animal de compagnie, votre conjoint ou une bande de votre terrain. Quel que soit son choix, il le fait pour rehausser son sentiment de sécurité. Inutile de vous énerver pour ça, ce n'est pas personnel.

Morale : Quand un Capricorne déploie des manières douce-reuses calculées, surveillez vos arrières. Vous concluez qu'il est facile d'apprendre le jeu de manipulation du Capricorne. Que vous n'avez qu'à endosser des habits de banquier, à dormir avec le *Wall Street Journal* et à respirer au rythme des variations de la Bourse. Détrompez-vous.

Vous avez mal interprété l'objectif des manœuvres du Capricorne. C'est probablement professionnel. Mais ce pourrait aussi être de nature sociale ou sexuelle. Quel que soit son but, le Capricorne vise le sommet ; et par «sommet», le Capricorne entend celui du mont de la finance. Le Bouc trouve l'argent sexy. Il croit que si vous êtes riche, tout le monde voudra vous baiser. Baisez-le d'abord.

Comment repérer un Capricorne

On trouve des natifs du Capricorne partout où il y a des monts à gravir, des territoires à conquérir ou des cultures à consommer. Ils sont généralement occupés à :

✳ gravir les échelons de l'entreprise ;

✳ diriger un empire ;

✳ réprimander les spectateurs impolis qui chuchotent au concert, pendant les premières mesures de la symphonie.

Pourquoi cette ascension sociale et professionnelle ? Le Capricorne sait à quel point on est seul au sommet, mais il se sent encore plus seul au bas de l'échelle, et ce n'y est pas aussi confortable.

Quoi que fasse le Capricorne et quelle que soit la façon dont il le fait, rappelez-vous qu'il est toujours en train de monter.

Morale : Le Capricorne sait où il va. Soit vous vous écartez de sa route, soit vous l'aidez à atteindre sa destination.

Comment impressionner un Capricorne

Les natifs du Capricorne fuient les modes. La patience est l'un de leurs traits les plus attachants. Cependant, ils n'ont aucune patience pour les gens qui font leur déclaration de revenus après le 30 avril ou qui ne savent pas quelle fourchette utiliser lors des dîners de gala. Si votre amie, votre amoureux ou votre patron est Capricorne, voici comme l'impressionner.

Faites preuve de dignité

Le Capricorne ne perd jamais sa dignité et n'en attend pas moins de vous. Vous ne marquerez aucun point si vous perdez vos bonnes manières ou si vous manquez au décorum en sa présence.

Si vous en doutez, essayez de faire un faux pas, par exemple en attaquant votre plat principal avec la fourchette à salade, ou en buvant du vin rouge avec le plat de poisson. Trempez votre savoir-vivre dans la vichyssoise, puis voyez le Capricorne perdre sa superbe, plus tard, en privé.

Cultivez-vous

Le Capricorne croit que le mot « culture » n'existe pas uniquement pour accompagner le mot « pop ». Lui-même se cultive dans divers endroits, dont les musées, les galeries d'art, les bibliothèques, les centres d'histoire et les cimetières. Visitez, vous aussi, ces endroits.

Éduquez-vous
Voici quelques idées :

Parlez correctement. Renoncez aux tournures familières et révisez votre grammaire religieusement. Le Capricorne perdra patience si vous massacrez la langue française en l'entremêlant de formulations anglaises, en abusant de termes familiers et en multipliant les liaisons malheureuses.

Connaissez vos classiques. Renouvelez votre carte de bibliothèque et servez-vous-en. Le Capricorne a du respect pour les gens qui savent lire. Lisez les classiques ou, à tout le moins, sachez qui sont Emma Bovary, Jean Valjean et les frères Karamazov. Et ne trichez pas en consultant Wikipédia.

Développez vos connaissances artistiques
Admirez une œuvre de Van Gogh. Faites une visite virtuelle de la Frick Collection. Le Capricorne sera impressionné. Les mauvaises langues disent que le Capricorne a des goûts tellement traditionnels que sur le plan artistique, il est calcifié. Le Capricorne est féru d'art et est particulièrement fasciné par la couleur de l'argent.

Morale : Raffinez vos connaissances artistiques. Ce n'est pas parce qu'un tableau obscène ou incompréhensible trône au musée Whitney qu'il s'agit forcément d'art.

Les pièges à éviter avec le Capricorne
La détermination est le secret du caractère impitoyable du Capricorne. Pour enviable qu'il soit, il constitue une autre façon de manipuler votre Capricorne. Misez sur la concentration et la patience, les armes préférées du Capricorne, et retournez-les contre lui en évitant de faire les choses suivantes :

✳ **N'attendez pas de spontanéité.** Si vous recherchez quelqu'un qui n'est pas fort sur la planification à long terme, vous n'avez pas choisi le bon cadran du zodiaque.

✳ **Ne soyez pas pressé.** Aimeriez-vous que votre amie Capricorne vous laisse utiliser sa place de stationnement, qu'elle revisse correctement le bouchon de la bouteille de tamari ou qu'elle vous laisse utiliser son séchoir à cheveux? Attendez le bon moment. Observez. Attendez.

Puis sautez-lui dessus au beau milieu d'une transaction d'affaires. C'est à ce moment qu'elle devient si concentrée qu'elle perd toute perspective, de même que sa vision périphérique. Garez-vous dans sa place de stationnement pendant qu'elle regarde ailleurs, puis pour rire, remplacer son nom par le vôtre sur le panneau « Réservé ».

✳ **Ne placez pas d'obstacles sur la route du Capricorne.** Le Capricorne considère que les obstacles existent en ce monde pour être surmontés. Ne présumez pas que vous pouvez le faire dévier de sa route en jetant des obstacles sur son chemin. Ne le dérangez pas à propos du toit qui coule alors qu'il est en réunion. Ne le textez pas pendant qu'il est à l'opéra avec des clients japonais.

Morale : Tenter de freiner un Capricorne en route vers son objectif revient à déplacer une grosse pierre sur son chemin ; c'est dur, c'est inutile et vous ne récolterez que des éraflures sur les mains. C'est d'un vulgaire.

L'assaut des intentions honorables : le Capricorne et l'amour

Votre amie de cœur Capricorne est élégante et gracieuse. Elle ne laisse jamais rien échapper, sauf des noms de personnes connues. Si vous êtes sensibles aux intentions honorables, le Capricorne est un bon choix. Si vous préférez la sexualité limite et les rencontres amoureuses débridées, vous feriez mieux de rechercher un Lion ou un Verseau.

Félicitez-vous si vous avez réussi à capter l'intérêt du Capricorne. Les natifs de ce signe sont attirés par le raffinement et la profondeur. Ils laissent aux autres signes l'attrait passager d'une garde-robe à la mode, le bronzage artificiel et les conversations prétendument recherchées, mais intellectuellement nulles.

Le Capricorne – homme ou femme – observe des standards élevés et n'en attend pas moins de votre part et de celle de ses amis et employés. La fiabilité, le raffinement et le talent sont de rigueur. Cela n'est pas qu'il soit à l'abri d'une étincelle amoureuse – ce serait mentir –, mais d'autres choses passent avant.

Morale : Le manque de profondeur refroidit le Capricorne. Voyons maintenant ce qui l'allume.

Qu'est-ce qui attire le Capricorne ?
L'authenticité. Si vous vous sentez jaugé par le Capricorne, c'est que vous l'êtes.

Rappelez-vous que le Bouc n'aime pas le faux et le manque de profondeur. Il n'est pas séduit par le caractère superficiel des seuls attraits physiques, comme votre taille ou la longueur de vos jambes, principalement parce qu'il plonge ses yeux dans les profondeurs de votre être et qu'il convoite vos réalisations, vos contacts et votre statut social.

Morale : Le Capricorne ne gravera pas votre nom dans les annales familiales si vous n'êtes pas à la hauteur de ses critères d'excellence.

La cour. Préparez-vous à un sommet d'intentions honorables. Rendez-vous officiels, enquête discrète sur vos goûts en matière de mobilier et dévoilement subtil des propriétés du Capricorne. Pas besoin d'être un génie pour comprendre que la démarche vise un engagement amoureux officiel, voire un mariage.

Le Capricorne n'est pas pour autant au-dessus des aventures d'un soir. Mais en y cédant, vous vous disqualifiez pour une place permanente dans la vie du Capricorne. Une relation est un investissement pour l'avenir, et quel avenir y a-t-il dans une histoire d'un soir?

Morale : Le Capricorne ne badine pas avec l'amour.

Comment entretenir la flamme du Capricorne

L'engagement est à ce point important pour le Capricorne qu'il n'est habituellement pas difficile d'entretenir la flamme. S'en débarrasser est une autre histoire. D'ici à ce que vous le fassiez, voici la meilleure façon d'obtenir ce que vous voulez.

Soignez votre tenue. N'oubliez jamais que vous faites partie des actifs du Capricorne. Lorsque vous vous négligez, c'est lui qui paraît mal. Au moment de renouveler votre garde-robe, choisissez des boutiques chics. Quoi que vous fassiez, n'achetez pas auprès de revendeurs. Et débarrassez-vous de vos ensembles tapageurs.

Vous (*vous pavanant dans votre ensemble*) : Voici ce que je vais porter samedi au banquet du Club Rotary.

Capricorne (*fronçant les sourcils*) : C'est ce que tu *comptais* porter au banquet.

Le Capricorne n'est pas impressionné par votre pantalon en faux cuir noir et le prix qu'il vous a coûté. Il est aussi consterné par votre définition de la haute couture.

Morale : Habillez-vous avec goût et en fonction de l'occasion.

Les choses à ne pas faire avec un Capricorne

Oui, le Capricorne gère votre relation de la même façon qu'il gère son entreprise. Ça signifie aussi qu'il vous emporte un peu au bureau, avec tout le reste. Néanmoins, s'il est une facette de sa personnalité que le Capricorne n'emporte jamais au bureau, c'est la dépression. Ne vous en faites pas. Le Bouc est naturellement morose. Et ne faites pas les choses suivantes non plus.

Ne soyez pas optimiste. Le Bouc témoigne du pouvoir de la pensée négative. Évitez d'afficher un positivisme qui ne ferait que souligner son négativisme et favoriserait l'émergence de visions cauchemardesques comme celle de perdre son Montblanc.

De quoi s'inquiète le Capricorne? De la faiblesse du dollar, des soubresauts de la Bourse, du roulement douteux de la roue avant-gauche de votre voiture ou du fait que lors du dernier souper entre amis, il a laissé sa pingrerie prendre le dessus sur ses bonnes manières à table. Quelle que soit la source d'inquiétude du Capricorne, vous avez tout intérêt à le sortir de son fauteuil pour l'entraîner dans la lumière et l'air frais. Laissé à lui-même, il aura tendance à mariner dans sa mélancolie. Sollicitez le côté pratico-pratique du Capricorne en prônant les vertus de l'exercice. Ne vouliez-vous pas aller patiner dans les rues du quartier?

La seule façon de le persuader de vous accompagner sera de le convaincre qu'il y gagnera au change.

Vous (*laissant pendre les patins sous le nez du Capricorne*): Allez! Viens patiner dans le quartier. On va s'amuser.

Le Capricorne fronce les sourcils. Vous venez de lui rappeler que quelque chose de plaisant ne peut être bien.

Vous: Tant pis. Je croyais que ça t'intéresserait. J'ai entendu dire que le maire fait une marche dans le coin à cette heure de la journée.

Morale: Dites au Capricorne que céder au plaisir pourrait contribuer à son avancement professionnel.

N'attendez pas de légèreté

Vous participez à une réception avec le Bouc. Ce dernier porte un chapeau idiot sur la tête et un sourire bête aux lèvres tout en lançant des confettis avec les autres invités. Ne laissez pas cette façade vous leurrer. Le Capricorne est toujours plongé jusqu'aux yeux dans les affaires sérieuses.

Il a beau donner tous les signes qu'il s'amuse, observez-le attentivement. Le Capricorne est-il vraiment en train de boire son troisième gin-tonic ? Ou son verre n'est-il rempli que d'eau gazéifiée et de glaçons ? Diriez-vous sincèrement que votre douce moitié semble s'amuser ? Réfléchissez. La liste des invités compterait-elle le nom d'un client potentiel ?

Morale : Lorsque vous aurez deviné les motifs derrière la présence du Capricorne, vous comprendrez que ses occasions de célébrer sont toujours du sérieux.

Ne dites pas à un Capricorne de faire son devoir

Le Capricorne est toujours heureux de faire son devoir. Il est impossible de le persuader de trouver du plaisir à faire quoi que ce soit d'autre. Voici d'autres interdits :

✳ Ne dépréciez pas ses réalisations ;

✳ Ne soyez pas vulgaire ;

✳ Ne consommez pas avec ostentation ;

✳ N'attendez pas de compliments systématiques ;

✳ Ne dites pas au Bouc de relaxer ;

Il en est incapable.

Le patron Capricorne

Le Capricorne est né pour diriger. À moins qu'il soit votre supérieur immédiat ? Même s'il ne l'est pas, il semble l'être. Le Capricorne n'est peut-être pas le président du conseil d'administration, mais si vous revoyez les procès-verbaux des réunions et les registres municipaux, vous constaterez que le président, le conseil d'administration et l'édifice qui les abrite appartiennent au Capricorne. Et si ce n'est pas le cas, ça viendra. Tâchez de vous en souvenir la prochaine fois que vous aurez envie d'ignorer l'importance d'être sérieux.

La stabilité professionnelle est gravement compromise lorsqu'on travaille sous les ordres d'un Capricorne. Faites votre travail et vous aurez du travail à faire. De façon permanente. Les formes sont importantes jusque dans la hiérarchie de commandement. Le Capricorne aime structurer la structure organisationnelle. C'est donc dire que la formalité règne au bureau. Mettez-la à votre service pour obtenir des promotions.

Flattez la fibre traditionaliste du Capricorne

Misez sur les fournitures et les modes de communication classiques. Le Capricorne aime les lettres, les notes de service, les chemises cartonnées beiges, les tablettes jaunes grand format, les plumes à réservoir. Il n'y a pas de mal à utiliser l'équipement moderne à l'occasion, mais seulement à des fins d'efficacité. La patronne Capricorne est de type traditionnel, mais elle ne boude pas pour autant l'ordinateur, la machine à écrire, le téléphone, l'automobile, et ainsi de suite.

Morale : La patronne Capricorne utilise la technologie moderne, mais pas au point de dormir avec elle.

Montrez votre ambition

Vous souhaitez qu'on vous confie plus de projets stimulants ? Vous aimeriez travailler davantage auprès du public ? Vous cherchez à frayer avec les gestionnaires capables de vous assurer d'une promotion ?

Morale : Faites connaître vos aspirations. Le Capricorne sait que les déplacements latéraux sont une vue de l'esprit. Il respectera votre ambition.

Arrivez le premier au bureau

Arriver au bureau avant la patronne Capricorne n'est pas simple. Elle y passe ses nuits.

Abordez le Capricorne selon les règles

Votre ex-patron était-il un Sagittaire ? Est-ce que selon ses règles, vous pouviez entrer dans son bureau pour lui emprunter son poinçon ? Cette relation ne vous a pas préparé au Capricorne.

Communiquez avec votre patron Capricorne de la façon traditionnelle. Demandez à votre secrétaire de communiquer avec l'assistante de sa secrétaire. Sollicitez ensuite une rencontre par écrit. Le Capricorne vous répondra de la même façon. Vous l'aurez deviné : les bonnes vieilles méthodes demandent du temps.

Morale : Lorsque vous avez besoin de l'opinion du patron Capricorne, planifiez.

Présentez des notes de frais détaillées et sans erreur

Le Capricorne tient les cordons de la bourse à l'œil, particulièrement lorsque la bourse est celle des actionnaires ou de personnes pour qui les résultats comptent. Conservez vos reçus et agrafez-les à votre note de frais.

Morale : La rigueur financière et l'organisation font bonne impression sur le Capricorne. Tâchez de ne pas l'oublier.

Pensez aussi à tenir compte des recommandations suivantes :

✳ Ne dépassez pas le budget.

✳ Ne laissez pas du travail inachevé sur votre bureau.

✳ Laissez vos problèmes personnels à la maison.

Votre amoureux vous donne du souci ? Vous avez perdu votre chien ? Vous vivez un divorce ? Parlez-en à un ami et ne mêlez pas l'immeuble du bureau à vos histoires.

Morale : La patronne Capricorne juge les débordements affectifs inappropriés.

Prototype de la carriériste que rien n'arrête, elle sait comment on manipule un directeur. Concentrez-vous sur l'une de ses marottes : l'étiquette. Si quelqu'un connaît les bonnes manières à utiliser au dîner du gala, c'est votre patronne Capricorne. Elle est si raffinée et si sûre d'elle ; elle sait ce qui est vraiment important. Minez son assurance en lui susurrant des idées radicales à l'oreille : « Tu es raffinée. Tu es sûre de toi. Tu sais ce qui est vraiment important. Et si revoir ta notion du bon goût était aussi important que de savoir quel vin servir avec le plat de poisson ? Savais-tu que tu pouvais être cultivée et kitsch en même temps ? » Si vous êtes suffisamment persuasif, le Capricorne hésitera entre assister à l'opéra et se mettre en quête de flamants roses pour décorer sa pelouse. C'est à ce moment que vous pouvez la déstabiliser. Et si ça ne fonctionne pas, vous aurez tout de même eu du plaisir à observer la scène.

CHAPITRE 13

Verseau : enchaîné à la liberté

Soleil en Verseau : 21 janvier au 19 février
Planète en domicile : Uranus

Nouvel âge/high-tech : Je canalise mon énergie pour rencontrer le propriétaire d'un bon équipement informatique. Envoyez-moi un courriel si vous désirez m'aider dans mon expérience de liberté en orbite. Au moment du rendez-vous, apportez votre portable et les plus récentes idées scientifiques/intergalactiques radicales. Notez bien : mon esprit est modifiable sans préavis.

Vous êtes lancé dans une relation avec un Verseau ? Bonne chance pour l'atterrissage. Le Verseau est un adepte techno du nouvel âge et un médiateur de toutes les déviances à la mode. Singulier, brillant et un excentrique de la marge, le Verseau est un croisement entre un prototype des années 1960 et un inébranlable futuriste partisan d'un environnement sain, de tolérance interraciale et interplanétaire et de l'ordinateur, dont il ne pourrait se passer.

Accro des technologies, le Verseau ne prendra jamais Snapchat pour un nouveau groupe ou un port USB pour une destination de vacances. Les natifs du Verseau sont originaux pour certains, extra-terrestres pour d'autres.

S'il est une chose qui attire le Verseau, c'est l'excentricité. Il la doit à Uranus, sa planète en domicile. Pour capter son attention :

Accentuez vos excentricités. Le Verseau est fasciné et extrêmement tolérant à l'égard des comportements à côté de la plaque. Si vous mangez votre dessert avant le repas principal, si vous nettoyez la cuvette à trois heures du matin ou si vous vivez dans une commune pour personnes inventives, le Verseau ne s'interrogera pas sur votre équilibre mental. Le Verseau ne vous jugera pas étrange à moins que vous aimiez occuper un emploi de bureau de 9 h à 17 h.

Morale : Révélez vos comportements singuliers.

Maquillez vos tendances traditionnelles. Occupez-vous un emploi salarié et vivez-vous dans une maison en banlieue ? Êtes-vous du genre à magasiner dans les mégacentres commerciaux ? N'en dites rien. Cachez aussi votre surprise devant les idées radicales du Verseau. La signature avant-gardiste du Verseau est difficile à encaisser si vous êtes plutôt conservateur. Certains traditionalistes vous diront que tout ce qu'il faut pour inaugurer un pavillon de psychiatrie est une salle vide et quelques Verseaux triés sur le volet. Si c'est ce que vous croyez aussi, ne vous retenez pas.

Morale : Pour amuser un Verseau, dites-lui qu'il est fou.

À quoi peut-on s'attendre de l'imprévisible Verseau ?

La manipulation d'un Verseau est une expérience intéressante. Les natifs de ce signe sont non seulement excentriques, mais aussi imprévisibles. Que le Verseau soit votre patron, votre amie ou votre amoureux, voici quelques constantes auxquelles vous pouvez vous attendre.

Attendez-vous à un traitement égal

Le Verseau est peut-être malin, mais il ne comprendra jamais pourquoi les gens ne se comportent pas de la même façon dans toutes leurs relations.

Morale : Que vous soyez sa patronne, son amant ou son amie, le Porteur d'eau vous traitera de la même façon, ce qui est à la fois noble et suprêmement irritant de sa part. Rappelez-vous que le Verseau prend ses amants pour ses amis, ses amis pour ses amants et ses patrons pour ses amis.

Attendez-vous à l'inattendu

Le Verseau est imprévisible. Si vous avez envie de vous étendre sur une couverture avec votre Verseau chérie et de faire l'amour au clair de lune, elle dira : « Bien sûr ! » Puis elle vous entretiendra des comètes. Si vous sollicitez ses conseils à propos d'un projet qui vous tracasse au bureau, elle dira : « Bien sûr ! » avant de s'excuser parce que son bec Bunsen est en train de brûler. Si vous l'invitez à une réception, elle dira : « Bien sûr ! » Et elle s'y présentera.

Morale : Avec le Verseau, attendez-vous à l'inattendu.

Attendez-vous à un discours excentrique

Communiquer avec un Verseau est une expérience unique. La conversation est difficile à suivre, non pas parce que son esprit est en constante ébullition, mais parce que le Verseau croit que le fil de ses pensées est fait pour être décousu.

Morale : Les Verseaux sautent d'un sujet à un autre, ou d'un paragraphe à un autre, sans se préoccuper de mettre des liens entre chacun, à moins qu'ils oublient de finir leur phra…

Rappelez-vous qu'en présence d'un Verseau, la ligne entre deux points n'est jamais droite.

Comment reconnaître un Verseau type

Vous devrez reconnaître le Verseau si vous comptez le manipuler. Le côté imprévisible du Verseau peut rendre fou. Cette imprévisibilité s'étend à la personnalité du Verseau et peut déconcerter quiconque essaie de piéger le Porteur d'eau. Les Verseaux se distinguent toujours des autres, y compris de leurs semblables du même signe.

Morale : Soyez observateur et vigilant lorsque vous surveillez un Verseau.

Méfiez-vous du personnage de scientifique excentrique

Le Verseau enfile des cravates dans les passants de son pantalon pour s'en faire une ceinture et oublie des trucs élémentaires comme son adresse. Il s'aventure hors de son labo pour trouver de quoi alimenter la machine à voyager dans le temps qu'il est en train de mettre au point pour retourner à l'époque de Woodstock.

Voilà le professeur distrait typique. N'allez pas croire pour autant qu'il a perdu l'esprit. Il l'a tout simplement laissé au mauvais endroit. Peut-être au magasin d'aliments naturels, à la boutique d'électronique ou au séminaire pour les mathématiciens en quête d'un soupçon de personnalité.

Morale : Évitez-le avant qu'il vous demande une subvention de recherche.

Méfiez-vous du conformiste qui cache un excentrique non avoué

Ce Verseau semble aussi conventionnel qu'un courtier en valeurs mobilières et presque aussi excitant. Ce déguisement lui permet de tourner autour de vous de façon inventive. Ce type de Verseau croit que la série *X-Files* est un documentaire et que la fin du monde surviendra dans un mois.

Remarquez cette femme tenant une mallette en train d'inventorier du regard le présentoir de magazines. Oui, oui, celle qui porte des chaussures à talons de 1 ½ pouce et des bas-culottes amincissants. Vous jureriez qu'elle ne flirte avec rien de plus radical qu'un état des résultats. Observez-la plus attentivement.

Ses boucles d'oreille sont en titane et en forme de soucoupes volantes. Elle ne feuillette pas le magazine *Fortune*, mais une publication sur le nouvel âge.

Morale : Les Verseaux ressemblent à tout le monde, sauf qu'ils ne sont pas comme tout le monde. C'est bien pour ça qu'ils sont si difficiles à reconnaître. Vous saurez que c'est un Verseau lorsqu'il vous l'aura dit.

Ce qu'il ne faut pas espérer d'un Verseau rebelle

Les Verseaux sont tellement indépendants et rebelles qu'on pourrait s'attendre à ce qu'ils se rebiffent devant les interdits et l'autorité. Rappelez-vous toutefois que les natifs de ce signe sont imprévisibles et que vous auriez tort d'attendre certaines choses de vos amis, de vos amants et de vos patrons Verseaux.

N'espérez pas contrôler le Verseau. Il est incontrôlable ; et bien qu'il se soit intégré à notre monde, il n'est pas encore domestiqué. Toute tentative de le changer ou de le dominer vous explosera à la figure.

Morale : La tolérance du Verseau fond comme neige au soleil auprès des personnes contrôlantes.

N'espérez pas de l'ordre et de la méthode. Si vous croyez que les choses devraient se faire d'une certaine façon, à une certaine heure et seulement lorsque le thermomètre indique une certaine température, revoyez votre attitude.

Morale : Ce qui vous apparaît comme le chaos est l'ordinaire du Verseau.

N'espérez pas de sens pratique. La native du Verseau concentre son attention sur des choses importantes, comme les manifestations pour la paix dans le monde, l'invention de la machine à mouvement perpétuel et la compréhension des principes de la fusion froide. Cela dit, elle n'a toujours pas saisi l'importance de ne pas laver les couleurs foncées avec le blanc et de mettre de l'essence dans le réservoir de la voiture avant de prendre le volant.

Morale : Les bonds prodigieux sont très faisables pour le Verseau. Seuls les petits pas du quotidien lui semblent inimaginables.

Une tactique de manipulation universelle pour tous les Verseaux

Le Verseau n'obéit pas aux ordres, mais cela ne vous empêche pas d'obtenir ce que vous voulez. Les exemples ci-dessous s'appliquent à toute relation avec un Verseau, qu'il s'agisse de votre patronne, de votre ami ou de votre amoureux. Les principes de base demeurent les mêmes.

Utilisez la psychologie inversée

Une puce électronique implantée dans son cerveau dit au Verseau : « Si on te dit de faire A, fais plutôt Z. » Aussi le Verseau est-il une cible facile pour mettre en pratique la psychologie inversée. Freud pensait sûrement aux natifs de ce signe lorsqu'il a inventé la technique. Servez-vous du modèle suivant pour faire faire tout ce que vous voulez à un Verseau : Dites-lui qu'il ne peut pas/ne devrait pas/vaut mieux qu'il s'abstienne de/existe une loi interdisant de _____. (compléter la phrase par ce que vous souhaitez amener le Verseau à faire). Et il le fera.

Il y a toutefois un os : vous devez d'abord capter l'attention de l'insaisissable Verseau. Vous le surprendrez probablement affichant l'air absent d'un professeur Tournesol. Il est bien capable d'en faire une façade. Avant de tenter d'en manipuler un, rappelez-vous : *le Verseau a un cerveau. Ne le laissez pas l'utiliser.*

Vous lui confiez un travail fastidieux qu'il n'a pas envie de faire ? Voyez-le prendre mentalement la poudre d'escampette et disparaître derrière son esprit inventif. C'est une manifestation personnelle contre l'autorité et le contrôle que vous tentez d'exercer.

Imaginons que vous harcelez votre Verseau chéri depuis des semaines afin qu'il installe un système de gicleurs automatiques sur la pelouse. Le Verseau est toujours disposé à discuter de réversibilité thermodynamique, mais la mention du mot «gicleur» le pousse à feindre un air abruti.

Essayez plutôt ceci : «Que je ne te vois jamais arracher mon chiendent pour installer ces horribles gicleurs. Je risquerais de trébucher dessus le soir, en sortant promener le chien. D'ailleurs, direz-vous en assénant le coup fatal, à ma connaissance, le règlement de zonage l'interdit. »

Le lendemain matin, vous constaterez que votre Verseau a passé la nuit à massacrer le terrain et à défier les urbanistes de la ville. Votre pelouse humide en témoigne.

Morale : Pour amener le Verseau à faire quelque chose, dites-lui qu'il doit s'abstenir de le faire. Et si vous arrivez à invoquer un quelconque règlement à l'appui de vos ordres, vous pouvez parier que le Verseau vous défiera, vous et votre règlement.

Le Verseau et l'amour : une relation Velcro

La tolérance et l'ouverture d'esprit du Verseau ne sont jamais aussi manifestes que dans une relation amoureuse. Le Verseau n'est pas possessif. Il ne fera pas de crise de jalousie si vous souhaitez explorer d'autres options romantiques sans le quitter. Ce n'est pas trop beau pour être vrai si vous êtes un tenant de la liberté. Ce l'est cependant si votre notion de relation amoureuse se traduit par des rendez-vous périodiques et un accès exclusif aux loisirs et à la brosse à dents du Verseau.

Révisez votre définition de l'amour

Pour vivre une relation amoureuse satisfaisante avec un Verseau, il vous faudra redéfinir votre conception de l'amour. Comme pour tout le reste, les Verseaux ont une conception différente et très pratique (pour eux) de l'amour. Pensez aux matériaux qui, symboliquement, assurent le maintien des relations. Ces matériaux entrent dans diverses catégories selon le signe :

✳ le ciment (pour le Taureau) ;

✳ le ruban isolant (pour le Scorpion) ;

✳ le Velcro (pour le Verseau).

Les relations amoureuses du Verseau sont des relations Velcro. Le Verseau veut avoir la liberté de l'arracher et de le remettre à sa guise. Que ça vous plaise ou non, évitez par-dessus tout d'être possessif.

Rappelez-vous que toute forme de contrôle irrite le Verseau et qu'il a besoin d'être stimulé de toutes parts. Apôtre de liberté, le Verseau a l'esprit ouvert. Additionnez tous ces traits et combinez-les à l'amour. Le résultat ne convient pas à la routine domestique, puisque vous ne pouvez faire votre lit alors que tant de gens s'y trouvent.

Morale : N'espérez pas une histoire d'amour pure et exclusive avec un Verseau.

Comment garder le Porteur d'eau à proximité

Vous avez commencé une relation avec un Verseau ? Préparez-vous à une expérience extra-corporelle. Les Verseaux n'ont pas leur pareille pour se trouver n'importe où sauf à l'endroit où ils devraient être. Garder un Verseau à proximité exige tout le charme, la subtilité et la fourberie d'une Balance.

Vous devez solliciter le côté non conventionnel du Verseau tout en comblant son besoin de liberté. Vous pouvez l'intriguer à l'infini, et donc soutenir son intérêt pour la vie, si vous misez sur ce qui l'allume :

Le Verseau a besoin d'espace. Le Verseau aime avoir les coudées franches. Accordez-les-lui. Imaginons le scénario suivant, alors que vous êtes à la maison avec votre Verseau chérie.

Verseau : Tu sais à quel point j'apprécie notre relation. Sauf que tu te trouves encore dans la même pièce que moi…

Vous admiriez votre nouvelle coupe de cheveux dans la glace, et n'aviez même pas remarqué la présence du Verseau.

Vous : Je te dérange ? Je vais faire un tour chez Fred, tu seras tranquille.

Vous partez regarder la télé chez votre ami Fred. Alors que vous venez de vous installer avec un gueuleton et un coffret des épisodes de Seinfeld, on cogne à la porte. C'est votre Verseau préférée.

Verseau : J'ai pensé que je pouvais me joindre à vous. Y a du maïs soufflé ?

Morale : Donnez à votre Verseau l'espace qu'elle réclame. Elle ne l'utilisera pas.

Embrassez la volupté, façon Verseau. Un signe aussi cérébral doit être au-dessus de plaisirs aussi terrestres que ceux de la chair. Parlons plutôt de sensualité. Vous trouverez souvent le Verseau au lit en train de faire la démonstration de sa sensualité avec une ou un autre que vous.

Morale : Recourez à la psychologie inversée lorsque vous surprenez le Verseau en flagrant délit de sensualité.

En entrant dans la chambre, la scène sous vos yeux fait bondir votre tension artérielle : le Verseau est au lit avec un autre. Prenez une grande respiration et ignorez délibérément votre tension et l'AVC qu'elle risque de provoquer.

Vous (*un sourire tolérant aux lèvres*) **:** Je me réjouis de voir que tu te conformes à notre entente de polygamie. Tu ne dois surtout pas être monogame, cette condition qui mine les impératifs biologiques de reproduction. En plus, se confiner à un seul partenaire va à l'encontre de toutes nos convictions.

Verseau : Tu as raison.

Tout à coup, votre Verseau s'extirpe des draps et de sa distraction du moment. Il se lève, vous prend dans ses bras et vous embrasse… puis fait une chose vraiment singulière, comme prendre un engagement formel.

Le patron Verseau

Le travail avec une patronne Verseau comporte de nombreux avantages. Elle vous traitera comme une égale. Elle ne croira jamais que votre objectif professionnel se limite à envoyer des courriels ou réacheminer la paperasserie dans la bonne direction. Votre patronne ne vous réprimandera jamais si vous jouez à des jeux à l'ordinateur. Elle ne minutera pas non plus la durée de vos conversations téléphoniques.

Vous disposerez des meilleures technologies de la boîte : le wifi le plus rapide, le dernier modèle d'iPhone, le portable le plus mince et la patronne la plus tolérante.

Abstenez-vous toutefois de donner ce titre au Verseau. Cette dernière perçoit le mot « patron » comme un anathème. Il évoque des souvenirs de conflits avec l'autorité et rappelle au Verseau qu'elle est devenue précisément ce contre quoi elle en avait.

Morale : Si vous donnez du « patronne » ou du « boss » à votre patronne Verseau, elle pourrait se rappeler qu'elle a la liberté de vous mettre à la porte.

Désignez votre patron comme un chef d'équipe

C'est ainsi qu'il se perçoit. Et vous êtes responsable non seulement devant le Verseau, mais devant le groupe aussi, c'est-à-dire vos collègues de travail et les vice-présidents, dont vous connaissez l'existence, mais que vous n'avez jamais rencontrés.

Soyez indépendant

Si vous ne pouviez réfléchir par vous-même, le Verseau ne vous aurait pas engagé. Continuez à réfléchir. Dans son esprit, vous êtes payé pour donner votre opinion.

Maîtrisez l'ordinateur

Faites tout à l'ordinateur. Le seul papier visible sur votre bureau devrait être celui que vous vous apprêtez à placer dans le bac d'alimentation de l'imprimante. En guise de lecture de détente, abonnez-vous à ces magazines qui annoncent que la nouvelle gamme d'ordinateurs sexy de l'an prochain est déjà obsolète depuis six mois.

Misez sur le sens communautaire du Verseau

Votre patronne Verseau se préoccupe de vous et des autres membres de l'équipe. Elle caresse un projet qui plaide pour la liberté, mais nuit à votre sécurité d'emploi. Vous entendez la dissuader.

Verseau (*dans une réunion*) : J'ai bien réfléchi. La sous-traitance est la meilleure voie. De cette façon, vous ne serez plus confinés dans cet immeuble et contraints de remplir une feuille de temps.

Vous savez que la pige peut fonctionner. Malheureusement, vous ne disposez d'aucune garantie que les contrats atterriront sur votre bureau. Vous décidez que la liberté absolue est formidable… à l'intérieur de certaines limites.

Vous : Je reconnais bien là ton inventivité. Pensons-y d'abord, et reparlons-en dans une prochaine réunion.

Verseau : Bonne idée.

Vous parlez la langue du Verseau. Elle se souvient maintenant pourquoi elle vous a engagé. Elle pourrait même commencer à retenir votre nom.

Vous (*à votre patronne, six semaines plus tard*) : On se voit toujours pour cette prochaine réunion ?

Verseau : Oui.

Le Verseau n'a pas remarqué qu'aucune décision n'a été prise. Ni compris que vous avez utilisé ces réunions comme des leurres. Elle en a d'ailleurs oublié le motif. Votre emploi est sauvé.

Demandez rarement des instructions

Ne demandez des instructions que si vous devez faire une chose contre laquelle le Verseau est susceptible de s'opposer. Rappelez-vous, un patron Verseau s'attend à vous voir réfléchir par vous-mêmes. Cependant, il est également imprévisible. Oui, il est tolérant, mais vous n'êtes pas absolument sûr de l'objet de sa tolérance du moment. Il est donc sage de protéger vos arrières lorsque vous vous apprêtez à faire quelque chose qu'il pourrait condamner. Par exemple, une utilisation éhontée de papier.

Contrairement à ce que pense le Verseau, vous ne pouvez obtenir de l'information de vos clients uniquement par l'ordinateur ou par télépathie. Vous devez imprimer quelque chose sur papier, affranchir une enveloppe et la confier aux caprices de Postes Canada.

Vous : Préfères-tu que je présente cette info à simple ou double interligne ?

Verseau : C'est bien là le problème. Quand on pense au réchauffement planétaire. À la forêt boréale qu'on sacrifie sur l'autel des papetières.

Vous : Et si je…

Verseau (*qui ne vous écoute pas*) : Si tu l'imprimes, tu devras la poster. Et je suis loin d'approuver la position du gouvernement à l'égard de Postes Canada. Sans compter qu'ils refusent d'émettre un timbre à l'effigie de Gaston Miron.

Ça, c'est un problème. Soyez responsable à l'égard des forêts de la Terre et cessez d'écouter le Verseau avant qu'il n'agrandisse le trou dans la couche d'ozone.

Morale : Maintenant que vous avez protégé vos arrières, décidez tout seul. Après tout, nous sommes tous maîtres de notre destin.

La politique est une spécialité du Verseau. On peut le trouver en train de faire circuler des pétitions, de manifester contre la déforestation, de militer pour la défense des opprimés de ce monde. Vous en avez de la chance !

CHAPITRE 14

Poissons : en quête de synchronicité

Soleil en Poissons : 20 février au 19 mars
Planète en domicile : Neptune

Êtes-vous mon karma ? Je cherche un partenaire prêt à échanger une expérience transcendantale contre un toit. S'il vous plaît, faites de la place pour mes collections d'art, de poésie, de films et pour tout laissé-pour-compte qui pourrait croiser ma route. Appelez-moi si vous êtes disposé à prendre les commandes pendant que, derrière mes lunettes roses Ray-Ban, je profiterai de ma liberté. Si vous tentez de me prendre en charge, toutefois, vous découvrirez que je fus Houdini dans une vie antérieure.

Méfiez-vous du caractère insaisissable du Poissons

Le Poissons est un artiste et un rêveur. L'âme empathique, sympathique, envoûtante qui aspire à servir et à sauver le monde. C'est un poète insaisissable en quête de rédemption et d'évasion par l'art. Le Poissons vous fuira aussi. C'est sa spécialité au rayon de la manipulation. Sachez à qui vous avez affaire.

Méfiez-vous de l'anonymat du Poissons

Le Poissons se cache derrière une façade anonyme et aime opérer en coulisses. À la timidité, le Poissons préférerait l'invisibilité. Et même si son corps est dans la pièce, son esprit est ailleurs.

Morale : N'essayez pas de cerner l'identité du Poissons. Tenez-le délicatement.

Méfiez-vous du côté polymorphe du Poissons

Non content de changer d'emplacement physique, le Poissons tel un caméléon, change de forme et de couleur. Il peut même transformer l'atmosphère.

Le Poissons disparaît. Compose-t-il un poème derrière votre chêne ? Fait-il votre portrait sous le hamac ? À moins qu'il se soit transporté dans le temps et l'espace ?

Le Poissons réapparaît, et des idées de prosodie et de penta-mètres iambiques traversent votre esprit. Peu à peu, votre pelouse devient floue avant d'être remplacée par une gondole se balançant sur l'eau d'un canal. Vous voilà à Venise au XIXᵉ siècle… Assise à une terrasse. Vous éclusez votre deuxième cruche de vin en compagne d'Arthur Rimbaud en l'écoutant réciter des strophes du *Bateau ivre.* Le Poissons est là aussi, blême, alors qu'il débarque seul de la gondole. Arborant un sarrau de poète et une âme torturée, il est condamné et mourra de tuberculose près du canal.

Mais non, ce n'est qu'une apparence. Frottez vos yeux et regardez autour de vous.

Disparus, le XIXᵉ siècle, le vin et la pleine lune. Vous tondez votre pelouse, le Poissons a réintégré son t-shirt. Il n'est pas condamné et ne mourra pas de tuberculose. Il a une constitution de marin en permission… et nourrit les mêmes intentions.

Le maître des illusions a dissimulé sa vraie nature. Il vous a laissé voir ce qu'il voulait bien vous montrer. Il se fond dans l'environne-ment ou en crée de nouveaux. Le Poissons a transcendé le temps et les lieux en vous emportant avec lui.

Morale : Ne vous laissez pas emporter par le Poissons polymorphe.

Lorsque vous manipulez un Poissons, rappelez-vous que sa planète est Neptune. Le symbole du dieu Neptune est un trident, un joli mot pour désigner une fourche. Le Poissons vous y fera goûter au moment le plus inattendu. « Impossible, dites-vous. Le Poissons est si gentil. Il donne aux bonnes œuvres et ne botterait jamais le chat. »

La prochaine fois qu'on vous piquera, vous vous retournerez, croyant trouver un Scorpion ou un Taureau. Mais il n'y aura personne. Puis vous vous retournerez et trouverez le Poissons, l'air innocent et la tête coiffée d'une auréole.

Morale : Le Poissons peut surgir derrière vous tout en vous regardant dans les yeux. Il en profitera pour cacher le chat.

L'art de manipuler un Poissons

Lorsque vous tentez de manipuler un Poissons, sachez que vous trempez vos orteils dans des eaux troubles. Le signe de Neptune est tout sauf léger. Malheureusement. Pour manipuler votre ami, votre amoureuse ou votre patron Poissons, vous devez adopter le bon état d'esprit.

Ne soyez pas réaliste

Oubliez vos prétentions pratiques. Le Poissons entretient une relation complexe avec la réalité. Limitez sa lecture des journaux. Ne le laissez pas consulter son Relevé 1 et son feuillet T-4.

Morale : Ne confrontez pas le Poissons avec la vraie vie, ce qui le pousserait à rester assis dans l'espoir que la réalité s'efface.

Devenez créatif

Le Poissons perçoit tout à travers le prisme de sa créativité. Puisqu'il est créatif, il s'identifiera mieux à vous si vous l'êtes aussi. Remplacez votre coffre à outils par des tubes de peinture et une palette. Jetez votre carte du pays et consultez plutôt une carte du système solaire.

Morale : Devenez créatif et vous établirez une meilleure relation avec le Poissons.

Adoptez une pensée non linéaire

Faites vôtres les réalités qui relèvent du domaine de l'imperceptible. Le Poissons est branché sur l'infini. Il peut expliquer les mystères de Stonehenge, vous guider vers la tombe du roi Arthur à Camelot, et vous dire avec précision ce que les chevaliers de la Table ronde ont fait d'Excalibur. Ne lui demandez pas, toutefois, de se rappeler où il a garé la voiture.

Morale : En compagnie du Poissons, appréhendez la dimension abstraite de la vie.

Regardez sous la surface

La vie est compliquée. La personnalité du Poissons l'est encore plus. Auprès de lui, vous trouverez de l'empathie, de la compassion, mais aussi 12 points de vue différents sur n'importe quelle question. Ne vous attendez pas à trouver des réponses toutes faites.

Morale : Rien n'est noir ou blanc aux yeux du Poissons. Il n'y a que des tons de gris.

Comment reconnaître un Poissons

Le camouflage est la ruse préférée du Poissons, et vous devez impérativement apprendre à le reconnaître. Retenez qu'à moins qu'elle soit en pleine séance de créativité ou de compassion, la native du Poissons est toujours plus à l'aise dans les coulisses. Vous la trouverez :

✳ en consultation dans un centre d'aide, d'un côté ou de l'autre de la table ;

✳ à l'opéra, en train de diriger l'orchestre ou de poursuivre une intrigue amoureuse ;

✳ dans une galerie d'art, au salon de l'ésotérisme ou dans un lieu de rassemblement d'artistes, de Lumières ou de personnes sensibles.

La nature mystique du Poissons le pousse à traîner dans des endroits singuliers, comme des boutiques où l'on vend des cristaux, de l'encens et des illusions. Il est facile de classer le Poissons dans la catégorie nouvel âge. Ça l'amuserait bien, d'ailleurs, lui qui aime se cacher n'importe où, même dans une catégorie. Cependant le penchant nouvel âge du Poissons comporte une différence mystique. Et si tous les Poissons sont adeptes du nouvel âge, les adeptes du nouvel âge ne sont pas tous des Poissons.

Pêcher le bon Poissons

Vous êtes en quête de sujets éclairés dans le stationnement d'une boutique d'encens. Vous apercevez deux spécimens vêtus d'un t-shirt en batik. L'un d'eux est probablement un Poissons… à moins qu'il s'agisse d'un Verseau. Pour distinguer l'un de l'autre, posez une question de mode :

Vous : Est-ce vraiment un t-shirt en batik ? Ou de la sérigraphie ?

Spécimen nouvel âge 1 (*toujours prêt à se faire de nouveaux amis*) : C'est de l'impression par sérigraphie, la plus récente technologie en matière de design de t-shirt. Mais je suis en train de mettre au point un détergent à lessive qui permet d'imprimer des motifs sans batik. Oh, je crois que j'ai laissé quelque chose brûler au labo. Salut !

Spécimen nouvel âge 2 (*méfiant, comme si vous réclamiez une réponse ferme*) : Ça ? C'est du batik. Non, c'est de la sérigraphie. (*Ses yeux s'humectent.*) J'ai déjà porté des vêtements en batik que je faisais moi-même, jusqu'à ce que je croise un type qui vendait ce genre de chemises directement de son camion. Sa femme est malade et ses enfants sont orphelins, alors j'ai acheté quelques chemises. Enfin, une douzaine, je crois. Je peux vous expliquer comment vous y rendre…

Le spécimen 1 est un Verseau. Le second est un Poissons. Plutôt faciles à distinguer, tout compte fait.

Morale : Le Poissons ne peut cacher sa nature empathique. Profitez-en.

L'art de communiquer avec un Poissons

La communication avec un Poissons peut laisser perplexe. Ce dernier ne communique pas en recourant à la parole ou à l'écrit. Le Poissons souffre d'une superstition syntaxique qui fait qu'il communiquerait plus volontiers par télépathie. Il fait son chemin dans la vie en utilisant un mélange d'intuition et de radar.

Le Poissons arrive à syntoniser des fréquences de conversations auxquelles la majorité d'entre nous n'a pas accès. Dieu merci. Pensez à quelque chose et le Poissons captera vos pensées. Certains le trouvent particulièrement sensible, d'autres le disent télépathe. Quel que soit le terme que vous choisirez, cette communication non verbale vous déroutera. Voici quelques trucs pour améliorer la communication avec un Poissons :

Parlez-lui avec courtoisie

Le Poissons communique de façon courtoise. Vous obtiendrez de meilleurs résultats auprès de lui si vous faites de même. Supposons que vous voulez savoir si le Poissons a ouvert le courrier.

Vous : As-tu ouvert le courrier ? Ne me dis pas que tu ne l'as même pas regardé ?

Vous vous retournez vers le Poissons, mais il n'est plus là.

Morale : Les discussions énergiques font disparaître le Poissons.

Exprimez-vous clairement

Les Poissons peuvent lire toutes sortes de choses dans vos propos. Soyez non seulement gentil, mais clair lorsque vous communiquez. Par exemple :

Vous (*dans la cuisine, en train de préparer un coq au vin*) : Je prépare le souper !

Poissons (*ce qu'il entend*) : La théorie déconstructiviste de la littérature sera tôt ou tard jugée à l'aulne de l'échec de la critique littéraire du XXe siècle.

Morale : Si ce que vous dites est important, demandez au Poissons de le répéter, pour éviter toute confusion.

Appelez le Poissons n'importe quand

Vous ne dérangerez jamais le Poissons. Vous ne le rejoindrez pas non plus. Votre appel échouera dans sa boîte vocale. Ce n'est pas qu'il ne souhaite pas vous parler. Seulement, le Poissons aime garder une zone tampon entre lui et les autres. La distance est le seul moyen pour lui de se prémunir contre sa nature de Saint-Bernard et les exigences d'autrui.

Le Poissons utilise tous les appareils susceptibles de ralentir la communication : boîte vocale, afficheur, numéro de téléphone confidentiel, case postale, etc. C'est problématique si vous ne souhaitez que bavarder.

Morale : N'hésitez pas à laisser des messages. Le Poissons vous rappellera. Tôt ou tard.

Une âme sœur glissante : le Poissons et l'amour

Carburez-vous à l'émotion ? À l'amour détaché de toute contingence ? À la vérité créative ? Alors le Poissons est l'amoureux qu'il vous faut.

Le Poissons est le dernier amant romantique du zodiaque. Sensible. Attentionné. Sensuel. Comme tout le monde, vous le prendrez pour votre âme sœur. Imaginons que vous en avez assez de votre partenaire stable. Vous soupirez en imaginant votre idéal : « J'aimerais rencontrer quelqu'un qui ressent les choses au lieu de toujours réfléchir. Une personne créative, branchée sur ses émotions. Un artiste, peut-être, aux cheveux bouclés et au volant d'un modèle de voiture classique. »

Le Poissons s'amène, et devinez quoi ?

C'est un artiste aux cheveux bouclés branché sur ses émotions. Quant à la voiture, on s'en fout. Vous ne pouvez pas tout avoir. Vous envoyez votre signal dans l'univers et le Poissons sent le besoin karmique de vous parler. Mais si vous êtes plutôt du genre terre à terre, le Poissons saisira ce qui, chez votre amoureux, vous manque… et adoptera la forme que vous aimeriez trouver.

Morale : Le Poissons n'est pas branché que sur l'art. Il est également branché sur vous et deviendra ce que vous voulez qu'il soit… lorsqu'il en aura envie.

Bien sûr, le Poissons est votre âme sœur. Vous êtes faits l'un pour l'autre. Vous avez trouvé ce que vous cherchiez, et peut-être même un peu plus. Au nombre des extras, un gamin abandonné qu'il a invité à dormir sur votre canapé jusqu'à ce qu'il trouve du travail ; des animaux errants en tout genre de même qu'une galerie d'épouses fidèles et d'ex de qualité et de format divers. C'est le prix de la compassion et de la sensibilité du Poissons.

Comment séduire un Poissons

L'amour romantique selon le Poissons ne se borne pas aux fleurs, à Puccini et aux soupers aux chandelles. L'amour est plus profond et doit toucher votre âme, vos vies antérieures et les névroses du Poissons. Séduisez-le en adoptant les comportements suivants :

Ayez l'air démuni. Le Poissons voudra vous sauver. Il sentira que vous avez besoin de lui. Aussi, perdez les clés de votre voiture. Égarez-vous en allant faire les courses. Oubliez comment fonctionne la machine à laver.

Morale : Votre inaptitude interpelle le Poissons. Elle lui dit qu'il peut vous aider.

Adoptez une attitude dénuée de jugement. Ou faites semblant. Le Poissons ne pose pas de jugement moral et évite ceux qui le font. Supposons qu'à l'heure du lunch, le plat principal est une rumeur sur la dernière arrestation à l'hôtel de ville. Alors que tout le monde condamne l'accusé, dites quelque chose comme : « Ne soyons pas trop durs. Il a peut-être de bonnes raisons d'avoir détourné des fonds et corrompu des fonctionnaires. »

Racontez votre passé tragique. Rappelez-vous que la sympathie est le talon d'Achille du Poissons. Ce dernier vibre particulièrement devant la tragédie. Si votre passé ne comporte aucun incident tragique, empruntez-en un. (Pour des idées, lisez *Les Misérables* ou n'importe quel titre de la littérature russe.)

Feignez l'indécision. Le Poissons aime les gens flexibles. Imaginons que vous avez rendez-vous avec un Poissons et qu'il vous a proposé d'aller soit au cinéma, soit au restaurant. Vous aimeriez essayer une nouvelle table italienne. Comment devriez-vous vous y prendre ? Essayez ceci :

Vous : On peut aussi bien aller voir *Casablanca* ou manger des cannellonis. Que veux-tu faire ?

Poissons : Oh… choisis.

Vous : Non, choisis, toi.

Renvoyez-vous la balle quelques fois, puis dites : « On va au resto ? »

Morale : Agissez comme si vous n'arriviez pas à vous décider. Vous rendrez le Poissons heureux et votre souplesse vous vaudra quelques points supplémentaires.

Soyez évasif. Utilisez des formules comme : « Oh moi, tu sais… » ou « C'est comme tu veux », qui laissent entendre que vous n'entretenez pas d'attentes déraisonnables à l'égard du Poissons ou de votre relation. Ce n'est pas que le Poissons soit incapable de s'engager. Seulement qu'il ne peut respecter ses engagements.

Morale : L'engagement rend le Poissons nerveux. Ne vous engagez pas et ne demandez pas au Poissons de le faire.

Les sources d'irritation du Poissons

Le Poissons a beau être accommodant, évitez néanmoins de faire certaines choses en sa présence.

Ne faites pas de vagues. Le Poissons n'aime pas les gens insistants. Si vous recourez à la force, il ira nager dans d'autres eaux.

Vous (*après qu'un court-circuit ait plongé la maison dans le noir*) : Pourquoi ne m'as-tu pas dit que l'électricien avait recommandé de remplacer l'entrée électrique ?

Le Poissons sourit puis propose son aide.

Poissons : Je vais sortir acheter des chandelles.

Puis le Poissons passe le reste de la journée à choisir entre des lampions parfumés et des bougies garanties sans coulage.

Morale : Si vous le réprimandez ouvertement, le Poissons s'éclipsera.

Ne demandez pas de comptes. Comme dans « ne demandez pas au Poissons où il était, ce qu'il faisait et avec qui ». Bien sûr, le Poissons ne demande qu'à vous plaire et répondra à vos questions, même s'il ne le souhaite pas.

Vous : Pourquoi n'es-tu pas rentrée hier ?

Votre chérie vous expliquera qu'elle s'est occupée de cette amie éplorée, qu'elle a sauvé un chat siamois abandonné sur l'accotement et qu'un cortège funèbre l'a ralentie. Vous finirez par lui dire d'arrêter parce que vous avez les yeux pleins d'eau et pas de mouchoirs à portée de main.

Plus tard, vous découvrirez que votre Poissons a dit la vérité, mais pas toute et pas rien qu'elle.

Morale : Les amants Poissons reconnaissent la vérité, mais n'ont jamais été incités à la partager.

Comment garder l'œil discrètement sur le Poissons

Le Poissons est indirect. Après tout, se dit-il, pourquoi prendre le chemin le plus court quand la route panoramique longe de si beaux paysages ? En plus, et ça compte pour beaucoup, il sait que vous ne l'y suivrez pas.

Il est donc logique que vous ne puissiez obtenir de réponses directes à vos questions directes. Celles-ci n'ont pour seul résultat que d'envoyer le Poissons acheter un paquet de cigarettes, un trajet de cinq minutes en voiture qui s'étirera sur une semaine pour échapper à votre insensibilité et vos interrogatoires.

Vous devrez donc jouer de finesse. Apprenez à voir la réalité au-delà de l'illusion. Ci-dessous, quelques exemples de questions à ne pas poser au Poissons, et le moyen d'obtenir des réponses :

Question à ne pas poser/Moyen d'obtenir la réponse

« Es-tu allé travailler ou au cinéma ? »/Consultez le kilométrage de la voiture.

« As-tu fait le paiement de la voiture ? »/Appelez la banque.

« As-tu fait les réservations d'avion ? » /Appelez votre agent de voyage.

On peut penser que seuls un détective privé, un policier ou une personne parano feraient de telles choses. Néanmoins, ce sont les seuls moyens de composer avec le Poissons et d'avoir l'heure juste sans perdre la boule.

Le Poissons pensera-t-il que vous l'espionnez ? Oui. Mais le Poissons se croit toujours sous surveillance. Aussi bien lui donner une raison de le penser.

Le patron Poissons

Le patron Poissons est une espèce en voie de disparition, et le vôtre est l'un des derniers spécimens encore en circulation. Le Poissons n'aime pas être un patron, n'a jamais eu l'ambition de le devenir et cherche maintenant à redescendre les échelons de la hiérarchie.

D'ici là, soyez gentil avec lui. C'est la meilleure façon d'obtenir ce que vous voulez. Le patron Poissons est relativement facile à gérer. L'absence de liens affectifs laisse toute la place aux beaux traits manipulables du Poissons.

Comment profiter du patron Poissons

Un patron natif du Poissons est très compréhensif et facile à satisfaire. Il est généreux au chapitre des augmentations de salaire, des congés pour motifs personnels et des vacances. Il ne ménage pas non plus sa sympathie, ce que tout le monde, de la haute direction à l'équipe de soutien technique, sait. Vous verrez souvent des gens venir lui demander conseil, pleurer sur son épaule ou tenter de lui faire les poches. Vous aussi pouvez utiliser le côté empathique du Poissons à votre avantage.

Voici comment obtenir ce que vous voulez du patron Poissons :

Tablez sur sa compassion. Vous êtes en retard à la réunion. Votre patronne vous attend dans le couloir. Elle ne dit rien parce qu'elle ne supporte pas l'idée de coincer quelqu'un, principalement parce que la personne pourrait essayer de la coincer en retour.

Vous : C'est horrible ce qui vient de se produire.

La patronne Poissons sort son mouchoir, oubliant son propre patron, qui n'est pas Poissons et qui s'impatiente dans la salle de réunion.

Vous (*en séchant vos larmes après avoir pleuré sur son épaule à propos de votre mère souffrante, de votre conjoint parasite et de la tension insoutenable au Moyen-Orient*) **:** Ça va mieux. Tu es très compréhensive.

Votre patronne opine du chef. Elle le sait. Votre retard et la salle remplie de collègues exaspérés sont pardonnés et pratiquement oubliés.

Poissons : Et si on commençait cette réunion ?

Morale : Échappez aux réprimandes du Poissons en jouant sur sa sympathie.

Faites un don à l'organisme charitable que défend votre patron. Votre patron Poissons est compatissant et n'en attend pas moins de vous. Si vous ne remettez pas plus de 1 % de votre salaire à la SPCA, le Poissons biffera votre nom de sa liste de promotions à accorder. C'est l'un des rares domaines où vous n'obtiendrez pas sa sympathie.

Morale : Si vous n'aidez pas les plus démunis, le Poissons n'aura aucune compassion pour vous lors de votre évaluation de rendement.

Misez sur le côté superstitieux du Poissons. Celui-ci varie d'un Poissons à l'autre, mais il est toujours présent. Ce peut être une spiritualité extra-terrestre, une religion organisée ou un opiacé quelconque. Utilisez-la à votre avantage.

Voici le scénario : votre patron Poissons s'apprête à vous réprimander parce que vous avez réservé trois semaines de vacances.

Vous : Comment se fait-il que je me retrouve à travailler avec toi ? Ce doit être le destin. (Ou la destinée. Ou la destinée manifeste.)

Comment dépasser le patron Poissons dans la hiérarchie

Oui, le patron Poissons est généreux sur le plan salarial et sur les promotions. Cependant la meilleure façon d'obtenir une augmentation est de lui voler sa place.

Ne vous sentez pas coupable. Soyez heureux. Le Poissons l'est. Pourquoi ? Parce qu'il préfère ne pas être patron. Oui, c'est un concept étrange, particulièrement pour des signes plus tournés vers les affaires comme le Bélier, le Taureau, le Gémeaux, le Cancer, le Lion, la Vierge, la Balance, le Scorpion, le Sagittaire, le Capricorne et le Verseau. Gardez cette idée à l'esprit et vous n'aurez pas à attendre longtemps avant que le Poissons glisse un mot de remerciement vaguement coupable dans votre pigeonnier, avant de disparaître.

Le Poissons est insaisissable. Il est difficile de le tenir longtemps avant qu'il vous glisse des mains. Sa tendance à s'échapper est le plus gros problème du Poissons. De quoi pourrait-il vouloir s'échapper ? De tout et n'importe quoi. La meilleure façon de manipuler le Poissons afin qu'il en ait pour son argent est de ne pas tenter de l'attraper. Tenez-le plutôt délicatement, et vous améliorerez vos chances d'obtenir gain de cause.

CHAPITRE 15

Quand l'ascendant s'en mêle : combinaisons avec le signe solaire

Vous avez peut-être lu un livre d'astrologie et constaté que la description proposée pour votre amoureux, votre patronne ou votre ami ne lui correspondait pas vraiment. La description du signe solaire était-elle erronée? À moins que vos proches soient des exceptions?

Ils constituent des exceptions. Votre amoureux, votre patronne ou votre ami sont peut-être des curiosités: un Bélier subtil, une Vierge brouillonne, un Poissons concentré, un Sagittaire ayant du tact, un Capricorne dépourvu du moindre sens des affaires, un Scorpion chaste, un Gémeaux fiable, un Verseau conformiste, un Taureau fantasque, un Cancer globe-trotteur, un Lion réservé ou une Balance qui cherche les ennuis.

La description du signe solaire n'est pas nécessairement incorrecte; seulement elle ne représente qu'une partie du portrait astrologique. Ce n'est toutefois pas la seule. L'ascendant est également important. Les traits caractéristiques du signe et de l'ascendant sont deux facettes de la personnalité.

Le fait de connaître l'ascendant d'une personne vous procure un levier supplémentaire pour composer avec elle. N'oubliez pas que les traits d'un signe et les tactiques à utiliser avec ses natifs demeurent les mêmes, peu importe qu'il s'agisse de l'ascendant ou du signe solaire. La meilleure façon d'obtenir ce qu'on veut d'une personne est de jouer sur son signe solaire et sur son ascendant.

Rappel : le chapitre 2 propose des stratégies pour trouver l'ascendant d'une personne et des conseils pour tenir compte du signe solaire et de l'ascendant. Si vous ne trouvez pas la paire signe/ascendant que vous cherchez, inversez simplement les deux. Par exemple, les paires Poissons/Vierge et Vierge/Poissons présentent les mêmes caractéristiques.

Si les traits du signe solaire et de l'ascendant semblent contradictoires, soyez compatissant. Il ne vous reste plus qu'à vous immiscer dans l'esprit de la personne. Imaginer ce que la pauvre endure.

Bélier/Taureau : Bélier ou ascendant Bélier avec Taureau ou ascendant Taureau

L'impétuosité du Bélier combinée à la prudence du Taureau est un contraste entre l'imprudence et la délibération. L'énergie du Taureau produit une personne qui appréhende toute chose avec une minutie dont le spectacle finit par tomber sur les nerfs. Le côté assuré du Bélier le rend fort sur la planification. C'est ce qui l'a incité à définir un projet de vie. Vous vous demandez peut-être pourquoi il a rédigé ce dernier à la mine… C'est qu'il n'avait que huit ans à l'époque. Ne lui demandez pas d'en dévier.

En revanche, le côté Bélier adore la gestion de crise, ce qui compense sa façon expéditive de faire les choses. Il va sans dire que votre Bélier/Taureau est déchiré entre ces deux modes d'action et de réaction. Votre ami, patron ou conjoint vous fera voir une facette de sa nature, puis l'autre. Bonjour la confusion (pour vous).

Ainsi sous l'influence du côté Taureau, votre ami/patron/conjoint deviendra prudent. Devant la nécessité de décider la meilleure chose à faire, il réfléchira, puis changera d'avis, puis réfléchira encore avant de commencer à planifier. Si, par exemple, vous planifiez une escapade pour la fin de semaine, le Taureau/ Bélier tentera de déterminer s'il est plus économique de s'y rendre en voiture, en train ou en autocar. Il consultera une carte et les horaires d'autocar et de train. Il téléphonera au CAA, vérifiera le coût de l'essence, etc. Puis, trois jours plus tard, il décidera de prendre l'avion pour gagner du temps.

Et d'où lui est venue cette idée, vous demandez-vous? De l'impétuosité et de l'impatience du Bélier, bien sûr, qui préférerait mourir plutôt que de passer plus d'une heure assis dans une voiture, un train ou un autocar. Ces facettes Bélier et Taureau s'exprimeront de façon aléatoire pour votre plus grand tourment. Apprenez à être flexible.

Bélier/Gémeaux : Bélier ou ascendant Bélier avec Gémeaux ou ascendant Gémeaux

Le Bélier aime faire les choses rapidement. Le Gémeaux aime les faire encore plus rapidement. Gardez à l'esprit que la combinaison Bélier/Gémeaux est championne sprinteuse du zodiaque. Avec un Bélier/Gémeaux, vous avez affaire à quelqu'un qui pense, parle et entend tout en sténo. Lorsque vous communiquez avec un représentant de cette combinaison, allez droit au but. Par exemple, si votre chérie Bélier/Gémeaux veut connaître les dernières nouvelles, ne lui proposez pas un tour du monde de l'actualité ; donnez-lui plutôt les grands titres. Elle cherche un bon divertissement ? C'est celle qui, au club vidéo, demande où trouver la version en 60 minutes d'*Autant en emporte le vent*.

Votre patronne est Bélier/Gémeaux ? Elle vous aura confié une multitude de choses à faire au plus coupant. Réagissez immédiatement et veillez à ce qu'elle voie que vous prenez la situation en main. Attendez qu'elle s'éclipse pour dîner, puis retrouvez une humeur contemplative pour passer à travers la pile de trucs qu'elle vous a confiés. Il y en a tant que vous aurez envie d'en jeter quelques-uns au panier. Résistez. La note de service que vous rêvez d'envoyer à la déchiqueteuse risque d'être celle pour laquelle votre patronne attend ardemment un suivi. Pour l'instant, concentrez-vous sur une chose à la fois et oubliez tous les autres éléments de la liste. Avec un peu de chance, sa courte mémoire de Gémeaux lui jouera des tours et elle oubliera elle aussi – idéalement pour toujours – ce qu'elle vous a demandé.

Bélier/Cancer : Bélier ou ascendant Bélier avec Cancer ou ascendant Cancer

Cette combinaison est un curieux mélange d'imprudence et de conservatisme, ce qui peut rendre fous ses représentants. Si vous en côtoyez un, vous risquez de devenir encore plus fou, particulièrement en matière de finances. Votre ami/amoureuse/patron Bélier/Cancer est du genre à dépenser tout son argent, puis à se sentir coupable de l'avoir fait. Ce ne serait pas si mal s'il gardait ses angoisses financières pour lui, mais n'y comptez pas.

Chaque fois que vous vous offrez une virée dans les magasins, il entend que vous fassiez comme lui en vous payant une séance de culpabilité par la suite. La pénitence n'est pas votre fort et, par ailleurs, votre cilice est chez le nettoyeur avec les pantalons préférés du Bélier/Cancer. Quand il commencera à inspecter vos reçus de caisse en vous rappelant l'instabilité des marchés et la difficulté à en avoir pour son argent, vous pourriez être tenté de l'ignorer ou de taire vos futures folies de magasinage. Vous feriez mieux de l'apaiser, ce que vous ferez en affichant une mine coupable.

Contentez-vous de dire : « Je suis désolée. »

Il croira que vous êtes désolée d'avoir fait tous ces achats. En fait, vous êtes désolée devant l'instabilité des marchés et le fait qu'il soit difficile d'en avoir pour son argent. Vous n'êtes donc pas vraiment en train de faire amende honorable. Vous prenez néanmoins ses préoccupations à cœur. Et ça vous tirera d'ennuis à tous les coups.

Bélier/Lion : Bélier ou ascendant Bélier avec Lion ou ascendant Lion

Votre ami, patronne ou amant Bélier/Lion, en plus d'être autoritaire, vous offre la quintessence de l'ego. Cette qualité est impossible à ignorer, ce qui est une bonne chose, car vous auriez des ennuis si vous le faisiez. Vous souhaitez garder votre Bélier/Lion heureux, alors vous continuez de le flatter sans ménagement. Mais il vous arrive parfois, lorsque vous vous livrez à ces gentillesses sociales, d'avoir l'impression d'en faire trop. Ou peut-être avez-vous même l'impression de mentir. Est-il possible de donner au Bélier/Lion ce qu'il demande sans pour autant sacrifier votre intégrité ?

Essayez de faire vôtres des énoncés ambigus comme les suivants :

Si votre Bélier/Lion est de retour de voyage, accueillez-le en disant : « Ce n'était pas pareil sans toi. »

Lorsque votre Bélier/Lion vient d'accomplir quelque chose, dites : « Tu dois être très fier de toi. » Le Bélier/Lion est toujours fier de lui, mais ce commentaire sous-entend qu'il a fait quelque chose qui justifie son sentiment de fierté.

N'oubliez surtout pas l'énoncé passe-partout que vous pouvez lancer en toute occasion, lorsque le Bélier/Lion vous fait la leçon (c'est-à-dire tout le temps) : « Tu marques un point. » Bien sûr, vous ne précisez pas s'il s'agit d'un bon point ou d'un argument stupide. Gardez ça pour vous.

Bélier/Vierge : Bélier ou ascendant Bélier avec Vierge ou ascendant Vierge

Le Bélier aime prendre la direction des opérations et la Vierge aime prendre les choses en main lorsqu'elle juge que vous les faites n'importe comment. Votre amie, amoureux ou patron Bélier/Vierge combine la critique élégante de la Vierge et la tendance très Bélier à diriger. Si un Bélier/Vierge est entré dans votre vie, vous n'aurez plus souvent l'occasion de faire quoi que ce soit de votre propre chef.

Par exemple, le Bélier/Vierge vous aperçoit en train de coller une série de timbres sur un paquet, en tentant manifestement d'estimer le prix de l'envoi selon les nouveaux tarifs postaux.

Il vous dira : « Je peux aller porter ce paquet au bureau de poste, si tu veux. »

Cette délicate attention lui vaut un sourire de votre part. À son retour, il vous dit : « C'est exactement ce que je pensais, tu utilises trop de timbres. Si tu avais d'abord pesé le paquet, tu n'en aurais pas gaspillé autant. »

Vous voilà dans le pétrin. Vous avez profité du besoin compulsif du Bélier/Vierge de vous aider, et maintenant vous le regrettez. Ce qui a débuté comme une relation est devenu un camp d'entraînement. Bien sûr que vous auriez pu vous procurer la nouvelle grille de tarifs postaux, mais vous n'avez pas encore eu l'occasion de le faire.

Comment faire pour dissuader un Bélier/Vierge de vous aider ? Le meilleur moyen est de le tenir occupé en lui confiant un problème difficile à résoudre. Son côté Vierge ne verra pas le temps passer, vous retrouverez un peu de marge de manœuvre personnelle et vous aurez la possibilité de mettre autant de timbres que vous voulez sur votre courrier.

Bélier/Balance : Bélier ou ascendant Bélier avec Balance ou ascendant Balance

La combinaison Bélier et Balance est source de friction. La Balance lénifiante et persuasive ne convient pas à la bravade autoritaire du Bélier. D'une part, le côté Balance de votre ami, amoureuse ou patronne recherche la paix et l'harmonie. D'autre part, son côté Bélier aime brasser la cage. Vous vous demandez peut-être pourquoi le Bélier/Balance trouble la paix qu'elle met tant de mal à instaurer. Voyez les choses ainsi : comment pourrait-elle satisfaire son petit côté « artisane de la paix » si tout tournait toujours rond autour d'elle ? S'il peut devenir irritant de passer constamment d'un extrême à l'autre, consolez-vous en sachant que, quelle que soit l'ambiance aujourd'hui, elle aura changé demain. C'est garanti.

Bélier/Scorpion : Bélier ou ascendant Bélier avec Scorpion ou ascendant Scorpion

Le Bélier/Scorpion peut être passionné. Les propos fadasses ne font pas partie de son arsenal verbal. Il associe la vie et les émotions aux couleurs de l'arc-en-ciel. Glissez sur l'arc-en-ciel du Bélier/Scorpion et toutes ses couleurs, allant de l'argent chatoyant au magnifique magenta.

Avant de vous pâmer sur la vue, sachez que la vie affective du Bélier/Scorpion comporte autant de nuances que son arc-en-ciel. Vous deviendrez le réceptacle de toutes ses émotions, de l'euphorie au pathos. Avec le Bélier/Scorpion, le juste milieu est difficile à trouver.

La modération est bien trop ennuyeuse pour lui. Et vous ne pourrez jamais lui reprocher d'être neutre. Prenez garde, ce type de passion est contagieuse. Advenant le cas qu'elle devienne trop lourde – et elle le deviendra – apprenez à échapper à la passion du Bélier/Scorpion, à moins que vous ne soyez prêt à ce qu'elle vous consume.

Bélier/Sagittaire : Bélier ou ascendant Bélier avec Sagittaire ou ascendant Sagittaire

Un Bélier/Sagittaire déborde d'un enthousiasme débridé. En sa compagnie, vous serez emporté par un vent de gaieté et un rythme enlevant. Le Bélier/Sagittaire s'investit totalement dans ce qu'il fait, mais seulement pendant qu'il le fait. S'il s'agit de votre patron, vous aimeriez peut-être l'impressionner ? Dans le zèle que vous mettez à vous faire remarquer, vous commencez à arriver tôt au bureau et à en partir tard. Vous n'hésiterez pas non plus à cumuler quelques heures de travail durant la fin de semaine. Vous comptez bien que tous ces efforts suscitent l'enthousiasme de votre patron. Or, pour une fois, le Bélier/Sagittaire ne le partage pas. Pourquoi ? Si le Bélier/Sagittaire n'est pas au bureau, même l'immeuble qui l'abrite n'existe pas.

Vous feriez bien mieux de vous occuper (ou d'avoir l'air occupé) lorsque le Bélier/Sagittaire est au bureau. Attrapez une pile de documents et passez rapidement deux ou trois fois devant son bureau. Vous n'avez pas besoin d'aller vraiment quelque part. Vous capterez son attention en ayant l'air incroyablement occupé. Vous pourriez même obtenir une augmentation.

Bélier/Capricorne : Bélier ou ascendant Bélier avec Capricorne ou ascendant Capricorne

La collision des signes du Bélier et du Capricorne entraîne un changement fondamental dans la façon de voir la vie. Le Bélier est idéaliste ; le Capricorne peut se montrer pessimiste. Le monde du Bélier présente un idéalisme vivifiant. Il préserve ce regard rafraîchissant sur la vie, quels que soient son âge ou les épreuves qu'il a traversées. Une telle conviction est attachante, et la plupart des gens y verraient un signe de foi. D'autres y voient plutôt un refus aveugle de prendre acte de l'expérience. Quel que soit le nom que vous donniez à ce trait de caractère, ce dernier est difficile à concilier avec le cynisme à tout crin du Capricorne.

Lorsque vous côtoyez un ami, une compagne ou un patron Bélier/Capricorne, vous avez tout à gagner en adoptant le regard positif du Bélier sur la vie. Vous parviendrez mieux à monter et descendre d'un extrême philosophique à l'autre.

Bélier/Verseau : Bélier ou ascendant Bélier avec Verseau ou ascendant Verseau

Le Bélier/Verseau est un casse-cou et un pionnier. Il fait tout rapidement et avant tout le monde. Il reste rarement en place très longtemps. Si vous le cherchez, il est probablement parti faire du parachutisme ou de la course automobile. Le moyen le plus sûr de ne pas le perdre de vue est d'être actif.

Lorsqu'il reviendra, il sera probablement plus préoccupé par ce qu'il a fait au cours de ses aventures. Ce n'est pas une personne centrée sur elle – enfin, pas complètement – mais sa vie et son travail peuvent la préoccuper. Ne l'oubliez pas lorsque vous devez composer avec une amie, une compagne ou une patronne Bélier/Verseau.

Supposons que vous entretenez le Bélier au sujet des coupures dans l'entreprise et des conséquences qu'elles pourraient entraîner sur votre capacité à payer les mensualités de votre voiture sport. C'est à ce moment que le Verseau décide d'avoir mal à la tête.

Vous : Ils ont décidé de rationaliser le service des finances au bureau, et...

Bélier (*en ajustant le sac de glace sur sa tête*) **:** Baisserais-tu le volume de la télé ? Ou de la radio. Oh, c'était toi ? Je t'en prie, baisse le ton : le bruit ne fait qu'empirer ma migraine.

Quelle est la meilleure façon de composer avec l'apparente indifférence du Bélier/Verseau à ce qui vous arrive aujourd'hui ? Vous pouvez l'amener à vous écouter de diverses façons, mais la meilleure consiste à faire appel à son goût de l'aventure. Donnez à ce qui était essentiellement une journée terne une tournure exotique en montrant les dangers de la vie en entreprise. Le danger capte toujours l'attention du Bélier/Verseau.

Bélier/Poissons : Bélier ou ascendant Bélier avec Poissons ou ascendant Poissons

Le Bélier est reconnu pour sa robustesse et sa bonne santé physique et mentale. Son ego, particulièrement, est en très bonne santé. Le Poissons, pour sa part, peut être modeste au point d'être invisible. La fusion de ces deux énergies différentes est ce qu'on appelle, dans les cercles d'astrologie, une combinaison Bélier/Poissons ; en psychologie, c'est ce qu'on appelle un dédoublement de la personnalité. La meilleure façon de composer avec cette troublante combinaison est d'être prêt à voir poindre l'une ou l'autre des deux facettes du Bélier/Poissons.

Un exemple. Lorsque son côté Bélier domine, le Bélier/Poissons ne demande pas mieux que d'entrer en relation avec vous. Connaissez-vous son numéro de téléphone ? Sinon, cherchez-le ; vous ne le regretterez pas. Sous ce jour, le Bélier/Poissons est plaisant, dynamique et amusant. Tout le monde vous le dira. Attendez un peu, et le Bélier/Poissons vous le dira lui-même.

Cependant lorsque le côté Poissons émerge, vous êtes bon pour un voyage au pays de la modestie et de l'humilité. Lorsque le côté Bélier domine, votre ami risque de s'inscrire à toutes sortes de concours. Ce peut être à celui qui arrive le premier quelque part ou à celui qui obtient la meilleure vue de lui en passant devant un miroir. Par contre, lorsque le côté Poissons prend le dessus, sa nature sans prétention est la facette maîtresse de sa personnalité. Ne prétendez pas pouvoir prédire quel côté prendra le dessus demain.

Taureau/Gémeaux : Taureau ou ascendant Taureau avec Gémeaux ou ascendant Gémeaux

La combinaison du Taureau et du Gémeaux crée un choc cosmique entre les deux énergies. Le Taureau est prudent ; le Gémeaux est insouciant. Le Taureau aime planifier ; le Gémeaux aime la spontanéité. Il aime aussi que l'argent circule alors que le Taureau s'y accroche. Votre amoureux, ami ou patronne Taureau/Gémeaux n'arrivera jamais à déterminer si elle veut financer Loto-Québec ou gagner l'un de ses tirages. Il vaut mieux observer de l'extérieur la schizophrénie financière découlant de cette combinaison astrologique. Retenez donc que s'il est pénible de composer avec un Taureau/Gémeaux, en être un est pire encore.

Taureau/Cancer : Taureau ou ascendant Taureau avec Cancer ou ascendant Cancer

L'amour que porte un compagnon Taureau/Cancer à son foyer est immoral. Il voue une égale dévotion à la sécurité financière. Certaines âmes peu charitables évoqueront même son côté avare à cet égard. Par exemple, il est bien capable – lorsqu'il fait des courses pour sa déco – de rentrer en se disant tout heureux de ses achats. Cependant, vous vous demanderez bien pourquoi lorsque vous y jetterez un coup d'œil : le Taureau/Cancer n'aura pas remarqué que les chandelles étaient en solde parce qu'elles n'avaient pas de mèche.

Taureau/Lion : Taureau ou ascendant Taureau avec Lion ou ascendant Lion

La combinaison du Taureau et du Lion est une célébration de la loyauté. Votre patron, votre amie ou votre conjoint Taureau/Lion est d'une loyauté surannée. Alors que tous ses collègues cherchent un meilleur job ou courent les promotions, lui savoure encore la promotion qu'il a obtenue après 10 ans au sein de la même entreprise. Alors que les journaux relatent l'incessante croissance du taux de divorce, il achète un cygne Lalique à sa tendre moitié pour souligner leur douzième anniversaire de mariage. Cela vous semble trop beau pour être vrai, mais ce l'est. Le seul ennui est que le Taureau/Lion est non seulement loyal, mais il s'attend à ce que vous le soyez aussi. Ce peut être un véritable problème si vous êtes volage et que l'honneur s'évalue pour vous selon une échelle mobile. Cette tendance du Taureau/Lion à s'attacher pour longtemps aux choses et aux gens fait que vous en aurez pour des années (voire des décennies) à goûter le plaisir d'être le centre de son attention. Une attention entière, soutenue et interminable.

Taureau/Vierge : Taureau ou ascendant Taureau avec Vierge ou ascendant Vierge

Le foyer d'un Taureau/Vierge est chaleureux et accueillant. Le Taureau tempère l'attirance de la Vierge pour les lofts de style euro-industriels aussi chaleureux que la salle d'attente d'un psychiatre sans les habituels magazines réconfortants. Les Taureaux/Vierges savent rendre un intérieur intime et confortable. Ils ont mieux à faire que de se consacrer à ranger et à mesurer l'espace entre les bibelots qui décorent la pièce.

De même, les Taureaux/Vierges sont des hôtes exquis. Ignorez celui qui dira qu'ils surveillent tout d'un œil critique. Les Taureaux/Vierges sont des créatures sociables ; ils préfèrent entretenir de brillantes conversations avec leurs hôtes que de critiquer leurs manières, de redresser les cadres et de réarranger les couverts correctement. Le Taureau/Vierge aimera votre foyer autant que vous. Alors, où est le problème ? Le problème est de l'attirer chez vous. La Vierge aime la routine, et rester à la maison aussi souvent que possible fait partie de la routine du Taureau. Profitez donc de sa compagnie chez lui ou chez vous, puisque c'est essentiellement là que risque de se concentrer sa vie sociale.

Taureau/Balance : Taureau ou ascendant Taureau avec Balance ou ascendant Balance

Après une dure journée, réjouissez-vous si un Taureau/Balance vous attend à la maison. Le Taureau est tactile ; la Balance est apaisante. Une fois installé dans ce genre de confort, vous oublierez non seulement votre dure journée, mais aussi votre emploi et le nom de votre employeur.

Gardez cette sensation à l'esprit le jour où vous aurez envie de soutirer quelque chose à votre amant ou votre amie Taureau/ Balance. Il est sensible au toucher. Si vous pouvez mettre la main sur lui, vous n'aurez aucun mal à mettre la main sur tout ce qui vous chante.

Taureau/Scorpion : Taureau ou ascendant Taureau avec Scorpion ou ascendant Scorpion

La fusion du Taureau et du Scorpion produit une personne sensuelle et têtue. Ces caractéristiques se manifestent entre autres par une passion pour les ressources sexuelles (Scorpion) et matérielles (Taureau). Vous pouvez utiliser cette passion à votre avantage. Lorsque le côté Taureau refuse de délester les cordons de sa bourse, sollicitez les instincts primaires du côté Scorpion.

Supposons que vous vivez avec une native du Taureau/Scorpion. Vous tentez de la persuader d'investir dans l'achat d'un canapé. Malheureusement, vous avez jeté votre dévolu sur un modèle coûteux. Pour la convaincre, votre meilleur argument consiste à lui rappeler que la qualité coûte toujours plus cher. Sans compter que la fabrication robuste résistera mieux à vos assauts lorsque vous ferez l'amour passionnément sur le canapé. Ne soyez pas surpris si votre chérie vous donne l'occasion de tester la robustesse du canapé le soir même.

Taureau/Sagittaire : Taureau ou ascendant Taureau avec Sagittaire ou ascendant Sagittaire

Votre ami, patron ou compagne Taureau/Sagittaire doit relever quelques défis, dont le plus important a trait à ses besoins contradictoires. Son côté Taureau a besoin de sécurité et de prévisibilité. Son côté Sagittaire carbure au danger et à l'excitation. Le Taureau/Sagittaire peut très bien se renseigner sur le prix d'un tour de montgolfière et, le lendemain, déclarer que si les marchés continuent à fluctuer de la sorte, il n'aura pas les moyens d'acheter des ballons pour la fête d'anniversaire de son fils. Quel état d'esprit reflète la réalité? Qu'importe, du moment que vous ne le laissez pas s'approcher de votre carnet de chèques.

Taureau/Capricorne: Taureau ou ascendant Taureau avec Capricorne ou ascendant Capricorne

Cette combinaison du Taureau terre à terre et du Capricorne pratique produit un traditionaliste inoxydable. Si vous êtes un avant-gardiste carburant aux plus récentes tendances et au nouveau régime à la mode, le Taureau/Capricorne vous rappellera l'époque où la cigarette était associée à la bonne santé et où la viande constituait une partie importante des quatre groupes alimentaires. Cette philosophie s'applique aussi à son opinion sur à peu près tout, depuis la politique jusqu'à la grossesse. Puisque vous ne risquez pas d'ébranler ses convictions, gardez donc vos idées radicales pour vous.

Taureau/Verseau: Taureau ou ascendant Taureau avec Verseau ou ascendant Verseau

Lanceriez-vous la construction d'une maison sans avoir d'abord fait faire des plans par un architecte? Non, pas plus que vous devriez tenter de manipuler le Taureau/Verseau sans avoir un plan derrière la tête. Le Taureau/Verseau aime les plans (parfois). Il aime aussi être impulsif.

Avec lui, impossible de résister au plaisir d'économiser. Il aime épargner de l'argent et sauver les forêts tropicales humides, quel qu'en soit le prix. Il recherche la stabilité d'un foyer bienveillant et l'excitation que procurent les voyages. Vous trouvez ces penchants contradictoires? Bien sûr. Vous devrez faire preuve d'une grande flexibilité pour suivre les contorsions mentales qu'entraîne la combinaison du Taureau et du Porteur d'eau.

Taureau/Poissons : Taureau ou ascendant Taureau avec Poissons ou ascendant Poissons

Le Taureau terre à terre a besoin de voir ou de toucher pour confirmer la véracité d'une chose. Le Poissons créatif n'a besoin que d'imaginer cette chose pour qu'elle se matérialise. L'association du Taureau et du Poissons produit deux types de personne : soit un casse-pieds sans imagination, soit un visionnaire capable de transformer des rêves en réalité. Croisez les doigts et espérez que votre ami, votre patronne ou votre compagne soit du deuxième type.

Gémeaux/Cancer : Gémeaux ou ascendant Gémeaux avec Cancer ou ascendant Cancer

Votre vie avec le Gémeaux/Cancer comportera autant de facettes que votre compagnon. Normalement, la vibration du Cancer indique une personne à ce point connectée avec son foyer qu'elle en est casanière. Lorsque cette énergie se combine avec celle du Gémeaux, toutefois, on obtient une personne qui semble incapable de se souvenir du jour de la collecte des ordures, mais qui parvient à mémoriser tous les indicatifs téléphoniques de l'Amérique du Nord. Votre principal problème, lorsque vous souhaitez manipuler un compagnon ou un proche Gémeaux/Cancer, est de trouver une façon créative de l'amener à rester à la maison. Vous pouvez assurer son bonheur en lui offrant une connexion Internet super-haute vitesse. Cela devrait suffire à soutenir son intérêt, du moins jusqu'à son prochain vol.

Gémeaux/Lion : Gémeaux ou ascendant Gémeaux avec Lion ou ascendant Lion

Le Gémeaux/Lion est le papillon social par excellence. La bougeotte du Gémeaux combinée à la chaleur du Lion crée le type d'énergie qui vous stimule, vous rend envieux et vous épuise. Cette énergie se manifeste souvent par une pulsion frénétique à socialiser. Gardez cette notion à l'esprit, particulièrement si votre idée d'un vendredi soir torride est de faire du maïs soufflé au micro-ondes et de regarder un classique du répertoire cinématographique danois.

Dans un contexte professionnel, vous estimez peut-être qu'on vous paye pour faire votre travail et non pour perdre votre temps à des activités frivoles comme participer au *pool* de hockey ou de faire circuler une carte à signer pour l'anniversaire d'un collègue. Votre dévouement au travail ne peut que vous rapporter, vous dites-vous. À n'en pas douter, vous passez beaucoup de temps au bureau. Malheureusement, ça achève. Pour le Gémeaux/Lion, se mêler aux activités sociales est au moins aussi important que de travailler.

Gémeaux/Vierge : Gémeaux ou ascendant Gémeaux avec Vierge ou ascendant Vierge

Paroles, paroles, paroles. La combinaison du volubile Gémeaux et de la Vierge loquace produit un dictionnaire sur deux pattes. La communication est primordiale pour le Gémeaux/Vierge. La meilleure façon de l'incommoder est de cesser de parler. Sur le coup, votre silence entraînera un court moment de réflexion qui sera aussitôt suivi d'une conversation à sens unique où le Gémeaux/Vierge répondra aux questions qu'il aura lui-même posées. Le nouveau problème sera alors de le persuader de garder pour lui ses réflexions.

Gémeaux/Balance : Gémeaux ou ascendant Gémeaux avec Balance ou ascendant Balance

Les gens nés sous la conjonction des signes Gémeaux et Balance sont passés maîtres dans l'art de l'euphémisme. Ce sont des politiciens et des plaideurs. Dans les cercles astrologiques, tout le monde sait qu'un Gémeaux/Balance est à l'origine de la tactique de l'appréciation anticipée : vous recevez une lettre qui vous remercie d'avoir accepté de soutenir une bonne cause. Au moment de glisser le chèque dans l'enveloppe-réponse, vous vous rendez compte que vous n'avez jamais convenu de verser d'argent. Vous comprenez aussi qu'on vous remercie *maintenant* de faire quelque chose que l'auteur de la lettre espère vous convaincre de faire plus tard. Vous venez d'être l'objet de la tactique de l'appréciation anticipée. Ce n'est que l'un des nombreux stratagèmes qu'utilise le Gémeaux/Balance avec élégance. (Les chapitres 5 et 9 en décrivent plusieurs autres.) Il est très probable qu'un jour, un ami, une compagne ou un patron Gémeaux/Balance exerce ses manœuvres sur vous. Et à moins d'en être un vous-mêmes (ou d'être vraiment rusé), vous vous laisserez embobiner. Détendez-vous, goûtez la démonstration et espérez qu'elle serve une noble cause.

Gémeaux/Scorpion : Gémeaux ou ascendant Gémeaux avec Scorpion ou ascendant Scorpion

La convergence des signes du Gémeaux et du Scorpion produit un caractère contradictoire et un esprit excentrique. La formidable mémoire du Scorpion est légendaire ; le Gémeaux jouit d'une remarquable intelligence, mais n'a aucune mémoire. À l'occasion, votre Gémeaux a besoin de nombreux pense-bêtes. Pour exercer la mémoire de votre Gémeaux/Scorpion au bureau, laissez-lui des mots ici et là. Par exemple, collez des feuillets adhésifs sur son moniteur d'ordinateur. Ou, pour attirer vraiment son attention, écrivez un message au rouge à lèvres sur son écran.

Il arrive que le Gémeaux/Scorpion ne retienne rien suffisamment longtemps pour qu'une chose l'irrite. En d'autres occasions, sa mémoire de vos moindres manquements est telle qu'il vous en tiendra rigueur jusqu'à la fin de vos jours. Ainsi, il lui arrive d'oublier le nom de fille de sa mère, mais il ne vous laissera jamais oublier le jour où vous lui avez coupé l'herbe sous le pied alors que vous étiez tous deux candidats pour une promotion. Quelle est la meilleure façon de composer avec cette mémoire variable ? Soyez simplement prêt à fréquenter un bloc de mémoire erratique. Et soyez philosophe : si elle se souvient de toutes vos erreurs, imaginez la vie de quelqu'un qui fréquente un Scorpion pur.

Gémeaux/Sagittaire : Gémeaux ou ascendant Gémeaux avec Sagittaire ou ascendant Sagittaire

La tendance du Gémeaux à papillonner (mentalement) combinée à la manie du Sagittaire à ne pas rester en place (physiquement) signifie que votre Gémeaux/Sagittaire est toujours en mouvement. Même si vous arrivez à le tenir physiquement en place, son esprit ne cessera pas de vagabonder. Et vous risquez de vous en rendre compte chaque fois que vous le côtoierez.

Votre chéri est un Gémeaux/Sagittaire ? Supposons que vous vous préparez à une escapade en amoureux pour la fin de semaine, et vous sentez que votre compagnon est distrait. Vous avez raison. En surface, il déballe joyeusement le panier de pique-nique et vous dit à quel point cette escapade lui plaît. Intérieurement, il vous regarde et s'interroge : « Est-ce que ça va marcher, nous deux ? Sinon, qui pourrait la remplacer ? Est-ce que je veux vraiment m'engager avec cette fille ? Et si elle était du genre à porter des chaussures bizarres ? Ou à faire craquer ses jointures ? Et juste d'imaginer qu'elle ne connaît rien de l'état dans lequel se trouve la cinématographie italienne… Et puis… »

Cela peut bien sûr être inquiétant, mais ce pourrait être pire ; le monologue intérieur pourrait être extériorisé et vous n'auriez d'autre choix que de l'écouter. Le Gémeaux/Sagittaire a un esprit si actif – sans parler de son corps – que vous auriez tort d'essayer de le retenir. Voyez plutôt la relation comme un voyage à bord des lignes aériennes Gémeaux-Sagittaire. Achetez un billet, montez à bord, commandez un expresso double et profitez du voyage.

Gémeaux/Capricorne: Gémeaux ou ascendant Gémeaux avec Capricorne ou ascendant Capricorne

Le Capricorne est un entrepreneur né. Le Gémeaux oublie parfois comment se rendre à son bureau, et même qu'il a un emploi. Ces deux signes combinés incarnent le choc entre la planification à long terme et la pensée à court terme. On perd son temps à rappeler à un Gémeaux qu'on doit s'absenter la semaine suivante: le Gémeaux ne pense pas aussi loin. Le Capricorne, si.

Le Capricorne aime entendre des formules comme « perspective à long terme » et « au cours des prochaines années ». Le Gémeaux est plus réceptif à des formules comme « à tout à l'heure ». Lesquelles devriez-vous utiliser avec un patron Gémeaux/Capricorne? Jouez sûr: utilisez les deux.

Gémeaux/Verseau: Gémeaux ou ascendant Gémeaux avec Verseau ou ascendant Verseau

Le caractère changeant du Gémeaux et le côté imprévisible du Verseau produisent des personnes insaisissables. Une partie du problème vient du fait qu'elles oublient des choses comme un rendez-vous chez le dentiste, une réservation avec vous au restaurant ou une réunion du personnel. Une seule certitude: le Gémeaux/Verseau oubliera. Pour vous assurer que le vôtre sera présent à un événement, annoncez-le-lui à la dernière minute. Même après qu'il ait accepté, préparez-vous à ce qu'il change d'avis au dernier moment après s'être rappelé un engagement de longue date pris il y a une dizaine de minutes. La meilleure façon de composer avec cette nature est de devenir aussi flexible qu'elle.

Gémeaux/Poissons: Gémeaux ou ascendant Gémeaux avec Poissons ou ascendant Poissons

Son côté Gémeaux indique qu'elle est curieuse, volubile et facilement distraite. Elle était en route pour vous retrouver au restaurant lorsqu'une occasion plus intéressante s'est présentée et lui a fait oublier votre rendez-vous. Son côté Poissons est empathique, intuitif et apaisant.

Une chose est sûre, un natif né sous cette combinaison a une nette tendance à vous poser des lapins, que ce soit pour un match de tennis, un souper au restaurant ou un 5 à 7 après le bureau. Imaginons que vous l'attendez, assis dans un bistrot. Après une heure d'attente, vous êtes affamé et vous comprenez que vous mangerez seul. Vous aimez vraiment votre ami Gémeaux/Poissons, mais vous aimeriez aussi qu'elle se pointe à l'heure pour faire changement.

La prochaine fois que vous lui parlerez, rappelez-vous son côté Gémeaux, qui signifie qu'elle aime parler. Sautez sur l'occasion pour amener la conversation au sujet qui vous intéresse.

Vous : Je suis ravi de te parler. Ça aurait été vraiment super de bavarder ensemble au restaurant, l'autre soir. Ce n'est pas que je déteste manger seul, mais j'étais affamé et j'ai mis un certain temps à comprendre que tu ne viendrais pas.

En disant à quel point vous aviez faim, vous venez d'enfoncer le bouton de l'empathie typiquement Poissons. Cette facette de votre amie multipliera les plates excuses et vous invitera à son tour au restaurant. (Un conseil : proposez d'y aller tout de suite. Et par mesure de prudence, allez la chercher en voiture.)

Cancer/Lion : Cancer ou ascendant Cancer avec Lion ou ascendant Lion

Dans la mesure où le Cancer aime son foyer et où le Lion aime qu'on l'aime, on peut penser, sans risque de se tromper, que vous parviendrez à convaincre votre ami ou compagnon Cancer/Lion d'entreprendre quelques travaux de décoration chez vous. Prenez soin, toutefois, de pressentir correctement votre ami. Pour flatter son côté Cancer, soyez prévenant ; pour attirer l'attention de son côté Lion, faites-lui des compliments. Imaginons par exemple que vous aimeriez son coup de main pour accrocher quelques cadres.

Assis devant le foyer, votre Cancer/Lion est plongé dans un polar. Souriez et dites-lui à quel point ce chandail lui va bien. Le Cancer/Lion en sera tout heureux. C'est le moment de faire votre demande : « Aurais-tu deux minutes ? J'aimerais avoir ton opinion sur un truc. »

Le Cancer/Lion soupire de contentement et dit : « Bien sûr ! »

Conduisez-le jusqu'au mur et montrez-lui l'un de vos deux cadres. « Selon toi, crois-tu que celui-ci ira mieux ici que l'autre ? »

Cette question mènera à la suivante, puis à l'objet de votre démarche. Avant qu'il se soit rendu compte que vous l'avez encore piégé, vous l'aurez déjà convaincu de planter les clous pendant que vous prenez du recul et lui demander de déplacer le cadre un tout petit peu vers la gauche. Même plus tard, lorsque votre Cancer/Lion aura vu clair dans votre jeu, il sera tellement content d'avoir un si bel intérieur qu'il ne vous tiendra pas rigueur de vos manigances.

Ne poussez toutefois pas votre chance jusqu'à lui demander de laver la voiture.

Cancer/Vierge : Cancer ou ascendant Cancer avec Vierge ou ascendant Vierge

La vibration sensible du Cancer, conjuguée à la vibration courtoise de la Vierge produit des personnes douces et perspicaces. Avec l'intuition du Cancer et l'aptitude infaillible de la Vierge à relever les défauts chez tout et tout le monde, le Cancer/Vierge ne laissera rien passer. Heureusement pour vous, cependant, le Cancer/Vierge est trop gentil et poli pour partager ses réflexions avec vous. D'ailleurs, ces deux traits de caractère pourraient vous fournir l'occasion de partager quelques-unes de vos réflexions avec lui.

Cancer/Balance : Cancer ou ascendant Cancer avec Balance ou ascendant Balance

La nature indirecte du Cancer combinée au côté diplomate de la Balance offre un quelque chose d'apaisant. Si vous êtes en quête de faits bruts, toutefois, ces qualités peuvent passer pour de la provocation. Lorsque vous lui demandez des commentaires francs, le Cancer/Balance est plutôt du genre à louvoyer entre les vraies réponses.

Vous avez peut-être fait connaissance, récemment, avec un nouveau collègue au bureau ou avec votre future belle-mère. Vous aimeriez naturellement savoir si vous avez fait bonne impression. Peut-être avez-vous senti un manque de chaleur et vous aimeriez savoir ce qu'en pense le Cancer/Balance ? Celui-ci vous rassurera, mais vous ne serez pas fixé pour autant.

Vous : Crois-tu que je lui plais ? Elle semble un peu distante.

Le Cancer/Balance dispose d'un arsenal de réponses ambiguës et vous servira des formules comme « Elle est un peu timide » ou « Il faut lui laisser un peu de temps pour se dégeler ».

Ces commentaires, bien qu'ils vous rassurent un peu, ne constituent pas exactement une information fiable. Si vous voulez une réponse franche, vous devrez insister. Contrairement au Poissons, qui peut mentir avec joie, le Cancer/Balance vous dira la vérité. Et comme on sait, la vérité fait parfois mal. Surtout au Cancer/Balance qui doit l'exprimer. Au lieu de lui imposer cette souffrance, apprenez à traduire ses propos. Vous devrez le faire souvent.

Cancer/Scorpion : Cancer ou ascendant Cancer avec Scorpion ou ascendant Scorpion

Lorsque les signes du Cancer et du Scorpion se rencontrent, le résultat est une personne intuitive et sensible, douée de remarquables aptitudes de guérisseuse et d'un désir puissant de les mettre à profit. Un seul inconvénient : le Cancer/Scorpion a besoin d'intimité pour s'épanouir. Il est sensible aux autres et souhaite répondre à leurs besoins ; cependant, il a du mal à concilier ce besoin de materner et son besoin d'intimité. Et comme les gens perçoivent facilement sa nature empathique, le Cancer/Scorpion devient un aimant pour les âmes en peine. Par exemple, votre problème pourrait avoir trait à votre vie amoureuse ou au taux d'intérêt variable de votre hypothèque. Ou peut-être ne cherchez-vous que des indications pour vous rendre au comptoir postal le plus proche ? Mais le Cancer/Scorpion le sait-il ?

Il réagira en se disant : « Voilà une autre âme en peine. Comment puis-je la réconforter ? Comment puis-je l'aider ? Comment puis-je l'éviter ? »

Heureusement, vous pouvez éviter que votre Cancer/Scorpion disparaisse en lui faisant comprendre que vous respectez sa vie privée. Lorsqu'il vous regarde avec l'air d'un chevreuil devant une voiture, essayez ceci :

Vous : Je comprends. Tu absorbes si facilement les préoccupations des gens que tu sens le besoin de fuir pour te rafraîchir les esprits.

Cancer/Scorpion : Comme tu es perspicace ! J'ai tendance à sortir pour prendre du recul comme d'autres sortent pour aller manger de la pizza.

Souriez avec une expression de compréhension et de sympathie. Vous verrez que le Cancer/Scorpion n'aura plus l'air de vouloir fuir. C'est le bon moment pour lui raconter les tourments que vous inflige votre hypothèque à taux variable.

Cancer/Sagittaire : Cancer ou ascendant Cancer avec Sagittaire ou ascendant Sagittaire

L'influence du Sagittaire pousse celui qui y est soumis à s'exprimer clairement, à aimer les voyages et à avoir la bougeotte. Un Sagittaire préfère toujours dormir dans un gîte touristique que dans sa propre chambre. Il peut oublier à quel journal il est abonné, mais il n'oublie jamais de renouveler son passeport. Combinez ce trait caractère avec celui du Cancer casanier, toutefois, et vous obtenez le genre de personne pour qui la plus belle partie du voyage est le retour.

Pour compliquer les choses, le côté Cancer aime mieux éviter les problèmes. S'il n'en tient qu'à lui, votre ami, patron ou conjoint, par son côté Cancer, choisira d'aborder les problèmes indirectement, et seulement s'il ne peut pas les éviter carrément. Le mélange de ces deux natures contradictoires produit une personne parfois assez franche pour vous briser le cœur. En d'autres occasions, toutefois, elle préférera vous éviter plutôt que de risquer d'avoir à aborder un problème avec vous.

Cancer/Capricorne : Cancer ou ascendant Cancer avec Capricorne ou ascendant Capricorne

Le Cancer/Capricorne aime la sécurité avant tout. Il accorde une grande importance au foyer. Un point de chute sûr et confortable est un terreau fertile pour la sensibilité du Cancer et la conscience de classe du Capricorne.

Supposons que vous travaillez fort, et que le Cancer/Capricorne déplore que vous ne sortiez jamais pour magasiner, vous amuser ou l'emmener au restaurant. Or, vous travaillez fort justement pour avoir les moyens de faire de telles choses. Si le côté Capricorne de votre partenaire est bien conscient de la nécessité de travailler fort, son côté Cancer, qui aspire à se dorloter au restaurant, parle plus fort.

La meilleure façon de composer avec cette nature est de faire appel à son besoin de sécurité et à l'importance qu'elle accorde au fait de vivre dans un beau quartier. Si elle ne cesse d'interrompre votre travail pour vous proposer d'aller manger à la table la plus chère en ville, contentez-vous de dire : « Je ne demande pas mieux que d'interrompre ce que je suis en train de faire pour qu'on puisse sortir. En chemin, tu pourras me dire dans quel parc de roulottes tu aimerais qu'on s'installe. »

Le Cancer/Capricorne cessera sur le champ de vous harceler.

Cancer/Verseau : Cancer ou ascendant Cancer avec Verseau ou ascendant Verseau

Quand le cosmos réunit le Cancer casanier et le Verseau radical, on obtient un excentrique domestique. Un côté de votre ami, amoureuse ou patron Cancer/Verseau ne peut se retenir de remplir son garde-manger des meilleures victuailles, alors que l'autre côté ne sait même pas qu'il a un garde-manger. Ces facettes contradictoires concordent rarement, mais vous pouvez les amener à coexister en facilitant la routine du foyer au moyen d'électroménagers dernier cri et de menus singuliers. Le Cancer/Verseau est imprégné de la culture du micro-ondes, alors évitez les plats mijotés ou les mises en place interminables. Mieux encore : trouver un restaurant exotique qui livre jusque chez vous. De cette façon, le côté crabe comme le côté Porteur d'eau seront ravis.

Cancer/Poissons : Cancer ou ascendant Cancer avec Poissons ou ascendant Poissons

Amant du mystère et du secret, le Cancer/Poissons peut être insaisissable, mais vous pourriez néanmoins le surprendre en train d'arroser la pelouse, de nettoyer les plates-bandes ou de tourner autour des pots de fleurs. Ce sont des hypersensibles, des penseurs intuitifs et des communicateurs. Ils peuvent être de très agréable compagnie ; l'ennui est que vous ne savez jamais sur quel terrain vous vous trouvez. Probablement sur des œufs.

Communiquez avec prudence. Le Cancer/Poissons a le don de deviner vos pensées. En fait de radar, il n'a rien à envier aux dauphins. Cette communication non verbale peut être charmante parce qu'il fait souvent les choses sans que vous ayez à les lui demander.

Vous pourriez ainsi rentrer du travail fourbu après un long trajet en métro et autobus, animé d'un seul désir, prendre un bain chaud. Avant d'avoir eu le temps de retirer vos chaussures, vous entendez le jet du robinet de la baignoire et sentez le parfum des sels de bain à la lavande. Rappelez-vous ce genre de délicate attention lorsque vous vous heurterez aux inconvénients de cette intuition et de cette empathie.

L'ennui avec le Cancer/Poissons est qu'en plus de lire entre les lignes, il parvient même à voir des lignes qui n'existent pas. La prochaine fois que votre Cancer/Poissons sautera aux conclusions avant de vous tomber dessus, vous et votre insensibilité, contentez-vous de sourire et de vous rappeler son habituelle délicatesse. C'est, après tout, un bien petit prix à payer.

Lion/Vierge : Lion ou ascendant Lion avec Vierge ou ascendant Vierge

La combinaison du Lion et de la Vierge produit des gens qui aiment l'autorité et dont la mission est d'aider leur prochain. Le Lion/Vierge n'aime rien tant que d'aider les gens en les faisant profiter de ses innombrables connaissances. Pour entrer dans les bonnes grâces d'un ami, d'un conjoint ou d'un patron correspondant à cette combinaison, vous n'avez qu'à tabler sur l'orgueil typique du Lion et sur la propension de la Vierge à vouloir aider tout le monde. Il croit qu'on s'intéresse en tout temps à tout ce qu'il dit, alors encouragez-le dans cette voie ! Le truc le plus éprouvé pour obtenir ce que vous voulez consiste à laisser au Lion/Vierge le plaisir de vous raconter quelque chose que vous savez déjà. Lorsqu'il entreprend de vous parler des composantes chimiques de l'eau, vous vous dites que la joie qu'il en tire doit l'empêcher de voir le mot « biochimie » sur votre diplôme de maîtrise, suspendu au mur devant lui. Gardez le sourire et laissez-lui ses illusions. Pour vous aider à tenir jusqu'au bout de cette leçon de chimie, songez à toutes les faveurs qu'il aura envie de vous accorder ensuite.

Lion/Balance : Lion ou ascendant Lion avec Balance ou ascendant Balance

Un Lion/Balance est un amoureux quasi fusionnel. Si c'est le cas de votre chérie, vous savez qu'elle est gentille avec tout le monde, mais particulièrement avec vous. Votre douce moitié vous bichonnera avec raffinement. La vie peut-être tellement douce avec elle qu'on peut avoir des scrupules à troubler l'atmosphère avec de basses tentatives de manipulation. Mais puisque nous y sommes, en voici une :

Votre chérie Lion/Balance vous prépare des vacances d'amoureux dans les îles Vierges. Vous aimeriez nettement mieux des vacances sportives que d'aller rôtir sur une plage au milieu de nulle part, mais comment faire autrement ? Essayez ceci.

Vous : Rien ne me fait plus rêver que la perspective de nous enduire mutuellement d'huile solaire pendant nos vacances. Mais ça ne t'inquiète pas, toi, les effets meurtriers du cancer de la peau ?

Pendant que votre chérie hoquette d'inquiétude, laissez tomber sur ses genoux une brochure de forfaits de golf en Écosse, puis portez le coup fatal : « N'aimerais-tu pas t'envoler vers l'Écosse ? La brise marine conviendrait tellement mieux à notre teint. » Puis faites votre plus beau sourire et allez rafraîchir vos connaissances en gaélique.

Lion/Scorpion : Lion ou ascendant Lion avec Scorpion ou ascendant Scorpion

Le Lion et le Scorpion sont deux signes de pouvoir, et ils aiment l'exercer en prenant les choses (et les gens) en main. Dans le cinéma qu'est la vie avec un Lion/Scorpion, rappelez-vous que l'influence du Lion procure son charisme à votre ami, et que l'influence du Scorpion est à l'origine de son magnétisme. Que vous le vouliez ou non, c'est lui qui tient le premier rôle, ce qui signifie que c'est lui qui décide, pas vous. À tout le moins, faites comme si. Si vous contestez ouvertement son autorité, il vous accusera de traîtrise et vous reléguera au rang de doublure. Pour décourager les arrivistes, le Lion/Scorpion dispose de nombreuses armes cosmiques. La chaleur et le magnétisme font partie de son artillerie et il en use sans vergogne. Son aptitude remarquable à vous réchauffer de sa présence vous trompera si vous tentez d'usurper sa place. Mieux vaut composer avec lui de loin. Vous serez moins vulnérable.

Lion/Sagittaire : Lion ou ascendant Lion avec Sagittaire ou ascendant Sagittaire

La chaleur et l'enthousiasme d'un Lion/Sagittaire sont palpables. Ces deux qualités sont aussi quasi impossibles à réfréner. Et parce que le thermostat psychologique du Lion/Sagittaire est interne, vous ne pouvez l'ajuster. Vous n'avez qu'à *vous* y ajuster. Il est facile de se laisser emporter par ce genre de zèle. Votre amie, amoureuse ou patronne Lion/Sagittaire peut déborder d'excitation. Le risque est particulièrement grand du côté financier. Dans le monde du Lion/Sagittaire, les budgets sont ennuyeux et la prudence a quelque chose de pervers. Écartez-vous de son chemin lorsqu'elle est d'humeur à faire les boutiques (gardez aussi votre portefeuille en lieu sûr). Quand il est question d'épargner, faites plaisir au Lion/Sagittaire : abstenez-vous.

Lion/Capricorne : Lion ou ascendant Lion avec Capricorne ou ascendant Capricorne

Cette combinaison est difficile. Alors que le côté Lion embrasse avec ostentation, le côté Capricorne trouve vulgaire toute démonstration de quoi que ce soit. Cependant, ces deux signes aiment jouir d'un statut privilégié. Comment faire plaisir à votre ami, conjoint ou patron Lion/Capricorne ? Accordez-lui les égards auxquels il croit avoir droit en lui offrant des présents ; choisissez-les avec goût, de préférence dans des boîtes Cartier. Le fait d'être l'objet de telles marques de respect et d'affection séduira son orgueil et son ego, que la nature ne lui a pas ménagé. À vrai dire, il a eu plus que sa part.

Le Lion/Capricorne vous regardera de haut si vous ne lui témoignez pas la déférence qu'il attend de vous. Vous pouvez atténuer son déplaisir royal en disant : « J'aimerais te demander ton avis. »

Cette tactique fonctionne parce que le côté Capricorne aime qu'on lui reconnaisse une certaine autorité alors que le Lion adore qu'on sollicite son avis. Aussi n'hésitez pas et sollicitez celui du Lion/Capricorne : rien ne vous oblige à le suivre.

Lion/Verseau : Lion ou ascendant Lion avec Verseau ou ascendant Verseau

La combinaison Lion/Verseau vous réserve des heures de divertissement. Imaginez que la vie est un cirque. Au milieu de la piste se pavane le Lion. S'il est la vedette du spectacle, le Verseau non conformiste, lui, est l'attraction qu'on ne soupçonne pas. Les natifs de signes astrologiques plus réservés trouvent le Lion/Verseau flamboyant. Vous le trouvez plutôt outrageusement excentrique. Parfois, son comportement dépasse les bornes, et vous n'avez qu'une envie : fermer les yeux et faire semblant qu'il n'existe pas.

Ce n'est pas toujours possible, particulièrement si vous êtes au travail. Rappelez-vous que son côté Verseau pousse votre collègue à être mieux que tout le monde. Comme le Bélier, le Lion/Verseau est une personne aux nombreuses idées. Contrairement à lui, elle n'en développe aucune. Le Lion/Verseau vous lancera quelques concepts que vous devrez noter. Ne les explorez pas tous ; lorsqu'il aura cliqué sur un concept, il ne le lâchera plus. Votre patron Lion/Verseau a quelques bonnes idées et une bonne réserve d'idées loufoques. Souhaitez-vous vraiment travailler sur un moyen de transmettre le déjeuner par Internet ? Ou explorer une idée de marketing pour du vin déshydraté ? Faites preuve de créativité si vous comptez le dissuader.

Pendant qu'il compulse ses ondes cérébrales, dites : « C'est une idée audacieuse que tu as eue à propos du vin. J'ai entendu dire que l'un des sports préférés des Français est la roulette cabernet. » Votre patron Lion/Verseau se penchera vers vous, plein d'anticipation. Avant qu'il ne s'emballe, dites : « Mais j'ai entendu dire que quelqu'un en France vend déjà un millésime déshydraté d'un cabernet très, très sec. » Puisque le Lion/Verseau ne peut récupérer cette idée inventive, vous voilà sauf. Du moins pour cette fois.

Lion/Poissons : Lion ou ascendant Lion avec Poissons ou ascendant Poissons

Si l'union des signes du Lion et du Poissons était un conte de fées, il s'intitulerait *Le monarque et la souris*. Ce n'est pas que la personnalité du Poissons ait quelque chose à voir avec celle d'un rongeur, mais comparé au Lion, le Poissons manque d'autorité. Cette union fait toutefois ressortir chez les deux signes la générosité et le désir d'aider l'opprimé.

Tout Lion/Poissons peut se montrer impérieux, mais vous remarquerez particulièrement cette caractéristique si votre patron est né sous cette combinaison. Il vous dira probablement dans le détail ce que vous devez faire et à quel moment le faire, quelles toilettes utiliser, le temps qui vous est alloué pour y aller et la quantité de papier hygiénique autorisée.

Ce type d'interférence vous poussera vraiment à dépoussiérer votre curriculum vitæ ou à visiter le site Web de la boîte de chasseur de têtes la plus courue en ville. Rédiger plutôt un mot de remerciement. Remerciez le Lion/Poissons de vous avoir accordé deux semaines de congé pour vivre le deuil de votre père, alors que la plupart des patrons ne vous en auraient accordé qu'une. Vous pourriez aussi lui exprimer votre gratitude pour vous avoir invités, vous et votre conjoint, à cette fête démentielle le jour de votre anniversaire.

Vierge/Balance : Vierge ou ascendant Vierge avec Balance ou ascendant Balance

Selon une rumeur astrologique non fondée, la Vierge serait une personnalité chicanière et une experte en tache infréquentable, à moins d'être parfait. Cette rumeur est fausse, en plus d'être injuste. Elle l'est encore plus selon la combinaison Vierge/Balance, signe des bonnes manières. Surtout, la Vierge/Balance aspire à l'ordre et à l'harmonie. Elle aime rendre service, aussi profitez-en.

Que pourrait vouloir faire une Vierge/Balance pour vous ? Elle veillera sur votre confort. Si le bruit d'un robinet qui fuit vous empêche de dormir, la Vierge/Balance se fera un plaisir de faire enquête. Même si celle-ci se transforme en un projet de plomberie dont son pyjama ne sortira pas indemne et qui sabotera sa journée très importante du lendemain au bureau. Il est vrai que vous aurez rarement le plaisir de la manipuler. Mais vous n'aurez jamais à vous préoccuper des innombrables corvées et réparations de maison la fin de semaine. C'est quand même chouette, non ?

Vierge/Scorpion : Vierge ou ascendant Vierge avec Scorpion ou ascendant Scorpion

L'intelligence et la remarquable perspicacité de votre ami, conjoint ou patron Vierge/Scorpion en font un mélange de Sherlock Holmes, de Miss Marple et de Maude Graham combinés. Malheureusement, son penchant naturel pour l'enquête en fait aussi une personne difficile à rouler. Si vous faites quelque chose contre son approbation, avouez, plaidez coupable et espérez son pardon.

Vierge/Sagittaire : Vierge ou ascendant Vierge avec Sagittaire ou ascendant Sagittaire

La vibration de la Vierge permet à la Vierge/Sagittaire de voir toutes les failles visibles, et quelques-unes invisibles, de votre monde. Malheureusement, l'influence de son côté Sagittaire lui procure la franchise de vous en parler. En détail. Encore et encore. Est-il seulement possible d'échapper à cette vision extra-lucide ? Pas vraiment. Vous feriez mieux de corriger les failles : ce sera plus simple.

Vierge/Capricorne : Vierge ou ascendant Vierge avec Capricorne ou ascendant Capricorne

On dit parfois que la Vierge/Capricorne est coupable d'étroitesse d'esprit sur les plans spirituel et fiscal. Cela relève de la calomnie et de la médisance à la fois. La Vierge/Capricorne accorde un grand respect aux valeurs, particulièrement aux billets de vingt et de cinquante. Elle peut parfois se rendre coupable d'une prudence excessive en matière amoureuse. Si vous trouvez que votre vie sexuelle avec la Vierge/Capricorne manque de piquant, amenez-la graduellement à sortir des sentiers battus. N'allez surtout pas faire irruption dans la chambre en brandissant des menottes. Commencez par lui faire des compliments. Montrez-lui une publicité de lingerie dans la dernière livraison du *Elle* en disant : « Ce modèle en dentelle noire t'irait à ravir. » Ou un soir, pendant que vous faites votre toilette : « Dis donc, j'ai pensé à une autre façon d'utiliser la brosse à dents à pile. » En y allant à petits pas mesurés, vous convaincrez bientôt votre Vierge/Capricorne d'installer un trapèze dans la chambre… si ça ne coûte pas trop cher.

Vierge/Verseau : Vierge ou ascendant Vierge avec Verseau ou ascendant Verseau

Le Verseau est réputé comme l'un des signes les plus francs du zodiaque, et la Vierge débusque la vérité avec une clarté sans merci. Les Vierges/Verseaux se font un point d'honneur de voir et de dire les choses comme elles sont. Cela signifie que votre ami, compagne ou patron Vierge/Verseau vous donnera toujours l'heure juste, que vous le vouliez ou non. Si vous préférez les propos enrobés de miel à la brutale franchise, vous n'êtes pas tombé sur le bon numéro. C'est vrai, juré craché.

Vierge/Poissons : Vierge ou ascendant Vierge avec Poissons ou ascendant Poissons

Le choc du rationalisme de la Vierge et de l'intuition du Poissons peut s'avérer aussi troublant pour celui qui y est confronté que pour la Vierge/Poissons. Le Poissons est porté sur la créativité décontractée alors que la Vierge adhère à la raison et à l'ordre. Pour la manipuler, la raison vous servira dans certains cas, alors que vous devrez vous tourner vers l'intuition en d'autres occasions. L'ennui est que vous ne saurez jamais quelle stratégie utiliser. Il n'est pas toujours possible de la manipuler en frottant sa batterie de cuisine, en classant ses reçus ou en rangeant sa collection de DVD en ordre alphabétique. Mais si vous le faites, vous aurez au moins son attention.

Balance/Scorpion : Balance ou ascendant Balance avec Scorpion ou ascendant Scorpion

La Balance/Scorpion est passée maître dans l'art de la manipulation et de la persuasion. Ses manœuvres sont d'une telle subtilité que vous aurez du mal à les détecter. L'espace manque ici pour décrire l'arsenal dont il dispose pour obtenir ce qu'il veut de la vie (et de vous). Consultez les chapitres 9 et 10 pour en savoir plus. Le jour où une Balance/Scorpion aura jeté son dévolu sur vous et entrepris de vous entortiller autour de son petit doigt, vous ne pourrez malheureusement rien faire.

Balance/Sagittaire : Balance ou ascendant Balance avec Sagittaire ou ascendant Sagittaire

La Balance et le Sagittaire sont deux des signes les plus aimés du zodiaque. La Balance coopérative et sympathique, et le Sagittaire direct et optimiste sont d'apparence on ne peut plus compatible. Or, cette combinaison présente un problème de taille : la Balance est ultra-diplomate alors que le Sagittaire n'a aucun tact. Le côté très intuitif de la Balance fait en sort que les natifs de cette combinaison astrale ont le don de mettre le doigt sur le bobo chaque fois qu'ils lancent une remarque sans réfléchir. Vous vous sentirez peut-être des envies de meurtre lorsque vous aurez été la cible de quelques-unes de ces remarques provocantes. Résistez. La Balance/Sagittaire est si populaire qu'on vous déclarera coupable sans autre forme de procès.

Balance/Capricorne : Balance ou ascendant Balance avec Capricorne ou ascendant Capricorne

La Balance est un signe d'élégance, tant par son apparence que dans ses manières. Les types Balance apprécieront donc vos bonnes manières et vos démonstrations de gentillesse. Le Capricorne est également raffiné et goûte les formes qu'exige le respect de l'étiquette. Impossible pour vous d'ignorer ces traits chez votre conjoint, votre amie ou votre patronne Balance/Capricorne. Rappelez-vous que les patrons nés sous cette combinaison aiment suivre un certain protocole, notamment le respect de la hiérarchie. Vous relevez directement de votre patron Balance/Capricorne. Contrairement au Bélier qui, même s'il travaille quatre étages plus haut, ne souhaite pas utiliser d'intermédiaire ou perdre son temps dans les ascenseurs alors qu'il peut utiliser le téléphone, la Balance/Capricorne aime les marques de respect.

Supposons que vous souhaitez lui poser une question. Afin de lui montrer votre plus grand respect pour son emploi du temps, essayez de lui demander un entretien la prochaine fois que vous le croiserez dans le couloir: «J'aimerais vous parler... Devrais-je prendre rendez-vous?» La Balance/Capricorne sourira gracieusement et dira: «J'apprécie ta prévenance, mais non, ce n'est pas nécessaire. Parlons-en maintenant.» Il ne saisira pas votre offre de prendre rendez-vous, mais votre tact fera long feu et il se souviendra de vos bonnes manières. Avec de la chance, il s'en souviendra lorsqu'il rédigera votre évaluation de rendement.

Balance/Verseau: Balance ou ascendant Balance avec Verseau ou ascendant Verseau

Le raffinement extérieur de la Balance cache parfois une vive intelligence. Lorsque cette qualité s'enrichit de l'excentricité intellectuelle du Verseau, vous obtenez un penseur très inventif. La Balance/ Verseau voudrait que le monde soit meilleur et plus agréable. Par exemple, s'il s'agit d'un inventeur, sa dernière invention brevetée pourrait bien être une forme de contrôle parasitaire non violente qui, au lieu de prendre une souris au piège, l'aiderait à se désincarner. Après tout, qui a dit: si tu construis une meilleure trappe à souris, elles viendront?

Balance/Poissons: Balance ou ascendant Balance avec Poissons ou ascendant Poissons

La Balance/Poissons est relax, apaisante, charmante au possible, attentionnée... et incroyablement indécise. L'harmonie est une dimension incontournable de son caractère. Comme elle déteste la confrontation, elle n'aimera pas que vous lui fassiez une scène. Et elle ne vous en fera jamais non plus.

Vous êtes au restaurant avec votre ami, compagne ou patron Balance/Poissons. Il bavarde poliment avec le serveur, puis commande des œufs bénédictine en demandant que la sauce hollandaise soit servie à part. Cela signifie qu'il n'y touchera pas, mais il ne veut pas en faire tout un plat.

Heureusement, cela signifie aussi qu'il ne se formalisera pas de vos défauts, à condition que vous ne lui fassiez pas de scène.

Scorpion/Sagittaire : Scorpion ou ascendant Scorpion avec Sagittaire ou ascendant Sagittaire

Dans les cercles astrologiques, le Sagittaire est connu comme un signe philosophe, voire mystique. En dépit de sa réputation sexy, le Scorpion est également considéré comme étant spirituel. Ne vous étonnez donc pas que votre ami ou votre conjointe soit particulièrement porté sur la religion. Évidemment, il y a toutes sortes de religion.

Pourquoi le mythe monastique entoure-t-il, tels les murs d'une abbaye, les deux signes les plus libertins du zodiaque ? Imaginez que vous êtes l'abbé. Vous aimez bien le moine Scorpion. Il aime sa vie privée, mais il manigance pour que vous lui autorisiez des visites amoureuses secrètes. Désespéré, vous vous tournez vers le moine Sagittaire. Il s'arrête à l'abbaye alors qu'il allait prêcher aux pécheurs du casino voisin, où il entendra les confidences d'une longue file de pénitents sexuellement frustrés.

Scorpion/Capricorne : Scorpion ou ascendant Scorpion avec Capricorne ou ascendant Capricorne

Le Scorpion/Capricorne est un sacré manipulateur. Il est plutôt silencieux pendant qu'il prépare son méfait. S'il vous semble de joyeuse humeur, insouciant et confiant dans l'avenir, prenez garde. C'est signe qu'il est sur le point de vous en passer une vite. Si vous tentez de le déjouer, vous pourriez perdre des plumes. Et bien que vous ne puissiez compter sur lui pour agir de façon noble, ce n'est pas toujours un manipulateur machiavélique non plus. Vous pouvez au moins espérer qu'il ne l'est pas ce coup-ci.

Scorpion/Verseau : Scorpion ou ascendant Scorpion avec Verseau ou ascendant Verseau

Par essence, le Scorpion est une personne capable d'une grande concentration. Il a aussi besoin de cacher ce qu'il prépare. Le Verseau semble manquer de concentration. Certains l'accusent même d'être frivole. Le Porteur d'eau circule avec aisance partout, bien qu'il ne raffole pas de frayer avec les figures d'autorité. Il préfère réserver ses contacts avec elles lors des manifestations et des grèves d'occupation. Le Verseau n'hésite pas à exposer ses préoccupations à l'égard d'enjeux politiques, sociaux ou éthiques. Aussi peut-on s'étonner d'apprendre que le Verseau, malgré son aisance avec tous, est aussi inflexible que le Scorpion. La combinaison des deux signes donne un sujet qui n'est enjoué qu'en apparence.

On peut déplorer l'entêtement phénoménal du Scorpion/Verseau. En fait, c'est l'une de ses qualités : cela témoigne de sa constance. Le Scorpion/Verseau est et sera toujours inflexible à l'égard de certaines choses. À vous de les trouver. Elles varient d'un sujet à l'autre, mais quelles qu'elles soient, elles sont non négociables. Va-t-il à la bibliothèque le même jour de chaque semaine ? Poste-t-il toujours son courrier du même bureau de poste ? Achète-t-il son café tous les matins au même restaurant ? Soyez aussi concentré que lui en vous efforçant de contourner ses inflexibilités ou d'apprendre à vivre avec. Vous feriez mieux puisque vous n'avez pas le choix.

Scorpion/Poissons : Scorpion ou ascendant Scorpion avec Poissons ou ascendant Poissons

Le Scorpion est jaloux de son intimité et le Poissons aime rester dans l'ombre. Cette combinaison astrale produit des personnes très réservées. Cela ne signifie pas qu'elles sont peu sociables ou qu'elles ne se laissent pas apprivoiser. Elles sont simplement difficiles à saisir. Vous aimeriez développer une relation plus étroite avec un Scorpion/Poissons de votre connaissance? Optez pour l'approche directe.

Vous : On devrait aller voir un film ensemble, un de ces quatre. Quel est ton numéro de téléphone?

Scorpion/Poissons : Je n'aime pas beaucoup donner mon numéro de téléphone à des gens que je ne connais pas très bien.

Vous (*intérieurement*) **:** Comment diable veux-tu connaître les gens si tu ne commences pas par leur parler?

Vous l'aurez compris, ce genre de conversation n'ira nulle part. Tout indique que la relation n'ira pas plus loin non plus. Et si vous insistez, le Scorpion/Poissons se sentira obligé de vous mentir. (C'est ce qui se produit quand on force trop la note.)

Essayez ceci : Donnez d'abord votre numéro de téléphone au Scorpion/Poissons. Il vous rendra peut-être la pareille. Et s'il ne le fait pas, il risque de prendre l'initiative et de vous appeler. Un jour.

Sagittaire/Capricorne : Sagittaire ou ascendant Sagittaire avec Capricorne ou ascendant Capricorne

Le Sagittaire est indéniablement d'agréable compagnie. C'est une bonne chose que ce signe soit de type grégaire, parce qu'il excelle aussi à manquer de tact, ce qui finit par poser problème. Si ce talent à laisser tomber des briques au milieu des conversations embarrasse la plupart des autres signes, le Capricorne en souffre particulièrement. La combinaison du Sagittaire et du Capricorne produit donc des sujets dont les tentatives pour atténuer leurs gaffes conversationnelles sonnent comme des ongles sur un tableau noir. Votre ami, copine ou patron Sagittaire/Capricorne mérite votre compréhension et, surtout, votre indulgence lorsqu'il met les pieds dans les plats. Il faut bien que quelqu'un lui pardonne. Son côté Capricorne ne le fera jamais.

Sagittaire/Verseau : Sagittaire ou ascendant Sagittaire avec Verseau ou ascendant Verseau

La franchise est l'un des emblèmes du Sagittaire et du Verseau. L'indépendance en est un autre. Lorsque les deux signes convergent, le besoin d'indépendance prend le pas sur le penchant pour la franchise.

Plus la distance physique et intellectuelle avec le Sagittaire/Verseau diminue, plus il s'éloigne sur le plan affectif. Ce n'est habituellement pas un problème s'il s'agit d'une association professionnelle, mais une relation amoureuse – particulièrement une relation sérieuse – peut être plus délicate.

Dès que vous parlez d'engagement, le Sagittaire/Verseau devient nerveux, et vous ne pouvez ignorer le changement. Qu'est-il arrivé de la franchise proverbiale du Sagittaire/Verseau ? Elle est à la maison, à côté de son portefeuille. Soudainement, le Sagittaire/Verseau peut semer un Poissons, rivaliser d'euphémisme avec un Gémeaux et déjouer un Scorpion.

Que faire ? Quelques mécanismes de défense viennent à l'esprit : vous pouvez reculer pour lui permettre de mieux respirer ou revoir votre définition d'une relation intime.

Sagittaire/Poissons : Sagittaire ou ascendant Sagittaire avec Poissons ou ascendant Poissons

On dit que les Sagittaires comme les Poissons ne sont pas forts pour mener les choses à terme. C'est faux, bien que « plus tard » soit la formule préférée du Sagittaire/Poissons. Vous pouvez y voir une façon de couper les liens ou comprendre que le Sagittaire/Poissons fera vraiment plus tard ce que vous lui demandez. La non-conclusion sera rarement un problème dans sa vie amoureuse. Si vous en faites partie, votre chéri a l'esprit ouvert et pratique l'amour universel, un amour qui vise toutes les créatures. C'est pourquoi il a probablement une connaissance très intime de tous vos amis et de la plupart des gens que vous ne connaissez pas encore. Votre esprit ne fonctionne probablement pas de cette façon. Vous espériez que son esprit se ferme juste un peu pour vous faire plaisir. Ne vous en faites pas, vous vous y ferez… plus tard.

Capricorne/Verseau : Capricorne ou ascendant Capricorne avec Verseau ou ascendant Verseau

Le Capricorne est un conservateur prudent, et le Verseau est un radical audacieux. Le Capricorne n'a pas son pareil pour préserver le *statu quo*, et le Verseau est passé maître dans l'art de renverser les dogmes. Vous voyez le problème lorsque le Capricorne se combine au Verseau. Ne l'oubliez jamais, parce que la vie avec un Capricorne/Verseau est une grande source de confusion. Vous ne saurez jamais de quel côté du balancier politique se trouve votre belle. Un jour, elle se dira en faveur de l'exploitation des sables bitumineux et le lendemain, elle signera une pétition contre les projets d'oléoducs. Ce n'est qu'un exemple de l'incohérence politique du Capricorne/Verseau, et vous aurez certainement de nombreuses occasions d'en relever d'autres.

Capricorne/Poissons : Capricorne ou ascendant Capricorne avec Poissons ou ascendant Poissons

Le Capricorne est habituellement très pratique et sa pensée est ancrée dans le concret. Le fil des pensées du Poissons l'entraîne souvent très loin, jusqu'aux anneaux de Saturne. Bonjour les contrastes. Comment concilier ces deux rapports très différents avec le monde lorsqu'ils s'opposent chez le Capricorne/Poissons ? C'est possible. Dites-lui que vous êtes sûr d'avoir partagé, dans une autre vie, sa foi dans la réincarnation, mais malheureusement pas dans cette vie-ci.

Verseau/Poissons : Verseau ou ascendant Verseau avec Poissons ou ascendant Poissons

Le Verseau/Poissons est un adepte accompli du nouvel âge, ce que vous constaterez très facilement. Comment faire autrement ? Il est si lumineux. Il a fait breveter un tas d'inventions inutiles. Après avoir fait la rencontre du Verseau/Poissons, vous vous dites que vous êtes certainement en Californie et trouvez étrange de n'avoir aucun souvenir du vol qui vous y a conduit. Le corps et l'esprit de cette personne ne sauraient s'encombrer de préoccupations et de responsabilités terre à terre. Un ami ou un amant Verseau/ Poissons n'est pas une affaire compliquée. Il en va autrement s'il s'agit de votre patron.

Ce n'est pas qu'il soit dur à vivre. Seulement, il préférerait ne pas être votre patron. Sa position de directeur l'oblige à rester assis derrière un bureau dans un gratte-ciel, lui qui déteste être confiné dans un lieu fermé. Cela signifie qu'il doit porter une cravate, ce qu'il appelle un nœud coulant griffé. Le fait qu'il entre souvent au bureau en retard n'arrange pas les choses puisqu'il se trouve mal placé pour vous demander d'être ponctuel. Enfin, il n'aime pas l'autorité, et c'est là son plus grave problème.

Il semble si malheureux, et vous aimeriez alléger son fardeau. Il serait peut-être plus heureux s'il travaillait pour un nouveau patron. Pourquoi pas vous ?

LIZ DEAN ET JAYNE WALLACE

44 *façons de parler à mes* anges

ACCUEILLIR MES ANGES D'AMOUR ET DE GUÉRISON

Guy Saint-Jean
ÉDITEUR

Apprenez à connaître les signes de la présence des anges

Découvrez 44 façons d'aiguiser vos sens afin d'augmenter la fréquence de vos vibrations et éveiller votre conscience. Ce guide vous permettra de comprendre comment les anges peuvent vous aider dans tous les aspects de votre vie, que ce soit la santé, l'amour, l'argent ou même les bouchons de circulation! Rempli de témoignages inspirants et véridiques, il vous donne des exemples concrets de façons que les anges peuvent utiliser pour se rapprocher de vous.

En vente partout où l'on vend des livres et sur www.saint-jeanediteur.com

Ouvrez-leur votre porte!

Dans ce livre, l'auteure vous guidera dans la quête de votre force spirituelle et vous montrera comment mieux canaliser votre énergie. Objectif: éliminer le stress dans lequel baigne votre aura afin de bénéficier de la fréquence énergétique optimale qui vous permettra d'entrer en contact avec vos anges gardiens. Divisé en sept chapitres, l'ouvrage est ponctué d'exercices tout simples qui vous permettront de mettre en pratique la théorie enseignée.

En vente partout où l'on vend des livres et sur www.saint-jeanediteur.com